बहस बीच में

मैत्रेय पब्लिकेशन

21-ए, दरियागंज, नयी दिल्ली-110002

बहस बीच में

वीरेन्द्र जैन

ISBN : 81-88468-28-2

मैत्रेय पब्लिकेशन
21-ए, दरियागंज, नयी दिल्ली-110002
द्वारा प्रकाशित

संस्करण : 2005

मूल्य : 150.00

आवरण : वाणी चित्रांकन

एस. एन. प्रिंटर्स, दिल्ली-110032
द्वारा मुद्रित

BAHASH BECH MAIN
***by* Virendra Jain**

अनुक्रम

पानी में मीन पियासी

गुड मार्निंग सर। ह्वेल कम इन इंडिया सर।

आई नो, यू आर बिजनेसमैन सर। व्यापार करने के वास्ते इंडिया आया है सर। आने से पहले अपने कंजूमर की भाषा, आई मीन हमारी हिंदी सीखकर आया है सर। पर क्या है कि इधर इंडिया में रहते-रहते अपन को इंगलिश में बात करने का हैबिट हो गया है सर। इंगलिश की हैल्प लिए बिना अपन अपनी बात किसी तक नहीं पहुँचाने को सकता सर। वह हमारी रोजमर्रा की भाषा है न सर, सो सॉरी सर, अपन आपको जो कुछ भी बताएगा, बोलेगा, उसमें इंगलिश का वर्ड जरूर आएगा सर।

आई होप सर, आप यह जानकर हैप्पी फील करेगा सर कि अपन आज भी आपकी भाषा और आपसे मिला अपन के देश का नाम इंडिया, दोनों को अपनी आइडेंटिटी का सिंबल मानता है। अपन को इंगलिश बोलने में और इंडियन कहलाने में प्राउडली फील होता सर। सच तो यह है सर कि आपकी भाषा और आप द्वारा दिए नाम को गले लगाए रखने से ही अपन को यह इलहाम हुआ कि आपके बिना अपन की गुजर नहीं सर।

सो, एक बार फिर ह्वेल कम सर।

आई होप, आप लोगों का जर्नी फेंटास्टिक और कंफर्टेबुल रहा होगा। रहना ही हुआ न सर। आप साहबान अपनी ही एयरवेज की फ्लाइट से जो आया है। हां, अपन की एयरवेज से आया होता तो थोड़ा हार्मफुल, डिफीकल्ट रहा होता। यू नो, आई प्रामिस सर, हम आपका माफिक सब कुछ करना मांगता सर। करने को सकता सर। वी ट्राई सर। कोशिश जारी है सर। रियली ट्राई सर। अवर गवर्नमेंट आलसो एग्री एंड एनकरेज सर।

आई स्वे, कुछ अर्सा बाद जब आप जैसा जेंटलमैन इधर इंडिया आएगा न सर, तब अपन की एयरवेज में भी आपको कोई प्राब्लम नहीं होने का। अपन की बुहारा एयरवेज ने अभी हाल में स्टार्ट लिया है न सर इंटरनेशनल फ्लाइट का। सब प्राइवेटाइजेशन का कमाल है सर। क्या नायाब और यूजफुल तरीका सिखाया है अपन

को आपने सर।

आप के मुल्कों से अपन के मुल्क में प्राइवेटाइजेशनिज्म क्या आया, अपन के देश का तो हर प्राब्लम सोल्ब हो गया। जिस किसी महकमे या इंडस्ट्री का प्राइवेटाइजेशन किया नहीं कि सारे झंझट खल्लास। लेबर प्राब्लम, नो प्राब्लम। सरकार की जवाबदेही, नो प्राब्लम। पूंजी निवेश, नो प्राब्लम। लॉ एंड आर्डर, नो प्राब्लम। कोटा-परमिट, नो प्राब्लम। घाटा, नो घाटा। प्रोफिट, प्रोफिट ही प्रोफिट।

कुछ मामलों में तो अपन की सरकार आपकी सोच से भी चार कदम आगे निकल गई सर। अपन के देश में आम शिकायत रहती है कि जन सुविधाएँ न होने से लोग इधर-उधर मल विसर्जन कर देते हैं। प्राइवेटाइजेशनवाद में आकंठ डूबी अपन की सरकार ने ऐलान कर दिया, जन सुविधाओं का प्राइवेटाइजेशन कर दो। अब हर सड़क पर इस देश की नब्बे फीसदी जनता के रिहायशी दड़बे से लाख गुना लकदक करते शौचालय बन गए हैं। टके दो और हल्के हो लो। पे करो और पेट खाली कर लो। जिसकी जेब खाली हो, बट नेचुरल उसका पेट तो पहले से ही खाली होगा, न हो तो, वह पेट चांपे फिरे। प्राइवेटाइजेशन को केवल जरूरतमंदों से नहीं बल्कि गाँठ के धनी जरूरतमंदों से सरोकार है।

तो देखा आपने, प्राइवेटाइजेशन होते ही अपन के देश में मूत्रालय तक पर पूँजी निवेश करनेवाले इनवेस्टर सामने आ गए। इनवेस्टर जानते हैं न सर कि बिना हगे-मूते किसी की गुजर नहीं।

इसी उपलब्धि पर आपका एक बार फिर स्वागत है सर।

ह्वेल कम इन इंडिया सर।

पर सर, आगे जाने से पहले आपको थोड़ा सिट करना पड़ेगा। इसी एयरपोर्ट के बाहर सिट करना पड़ेगा सर। बाहर जो बच्चा लोग आपको दिखाई दे रहे हैं न सर, वे आपका ह्वेल कम करेंगे सर। ये सुबह से इसी के वास्ते यहाँ स्टेंडप हैं सर। ये सब आप सबका ह्वेलकम करेंगे। गाना गाकर करेंगे सर।

यह इंडिपेंडेंट के बाद का अपन का नया रिचुअल है सर। यह आपके टाइम में नहीं होता था सर। पंडित नेहरू, यस सर, वही पंडित जे.एल. नेहरू जिसके वास्ते लेडी माउंटबेटन के दिल में कुछ-कुछ होता था, उन्हीं पीजेएलएन ने यह रिचुअल स्टार्ट करवाया था सर। जब भी कोई परदेशी मेहमान अपन के मुल्क में आता था, तब वे उसके ह्वेलकम के वास्ते, स्कूलों के बच्चा लोग को सड़कों पर खड़ा करवाते थे। वह बच्चा लोगों को बहुत लाइक करते थे सर। बच्चा लोग भी उनको बहुत रेसपेक्ट देते थे सर। उनको चाचा बोलते थे सर। अंकल सेम। तब का बच्चा लोग उनको अब भी याद करते हैं सर, पर आई डाउट सर कि अब भी वे उन्हें रेस्पेक्टेवुली याद करते होंगे। बहुत शेमफुल बात है सर, पर आपके लिए होप फुल।

तब बच्चा लोग विदेशी मेहमान का फूल देकर, तालियाँ बजाकर, झंडियाँ

दिखाकर, गाना गाकर वेलकम करता था। अपन भी जब स्कूल में था, ऐसा करने के वास्ते कई बार सड़क पर घंटों भूखा-प्यासा स्टेंडप हुआ था सर।

तो बच्चा लोगो, हमारा गोरा गेस्ट आ गएला है। इनका वेलकम करो। गाना गाकर करो। फूल देकर करो। तालियाँ बजाकर करो। पर खबरदार, झंडी दिखाकर मत करना। गेस्ट लोगों को आकवर्ड फील होने को सकता। अब क्विट इंडिया का जमाना नहीं है। कम इंडिया, होल्ड इंडिया, टेक इंडिया, टिक इंडिया, कैच इंडिया का जमाना है।

हाँ तो बच्चा लोगो, जैसा सिखाया गया था, रिहर्स कराया था, वैसा स्टार्ट लो।

वन, टू, थ्री...

आज यहाँ श्रीमान पधारे, आनंद अपरंपार,
आओ जी करें हम स्वागत शत-शत बार।
धन्य दिवस ये धन्य घड़ी है, आप यहाँ जो पधारे हैं
दर्शन पाकर हुए कृतारथ, छात्र ये हर्षित सारे हैं
समय सुहाना मिला ये हमको छाई अजब बहार।
आओ जी करें हम, स्वागत शत-शत बार।
आईटी प्रेमी, टेक्नोक्रेटी, दानी आप कहाते हैं
एमएनसी और निजीकरण के भूषण समझे जाते हैं
किस मुख से हम करें प्रशंसा नहीं समय अधिकार
आओ जी करें हम स्वागत शत-शत बार।

तालियाँ।

हाँ तो बच्चा लोगो शाबास। गोरा गेस्ट खुश हुआ। अब तुम जाओ। जाकर टीचर जी से रिफ्रेसमेंट पाओ। फिर कोई फारनर गेस्ट आएगा, तो अपन फिर तुमको बुलाएगा।

चलो, हटो, अपन के गोरे गेस्ट लोगों को रास्ता दो।

आइए सर, कम-कम, अँग्रेजी वाला कम सर, हिंदी वाला नहीं।

इधर देखिए सर, वह लग्जरी आप लोगों का वेट करती सर। इस बस से अपन आपको आगे के सफर पर ले जाएगा सर। अक्खा हिंदुस्तान, आई मीन इंडिया घुमाएगा सर।

इस बस में आप जैसा गोरा गेस्ट ही ट्रैवल करने को सकता सर। इसमें डर्टी इंडियन सफर नहीं कर सकता सर। करने को कहो तो रिफ्यूज कर देगा सर। वो क्या है सर, इसमें एक टॉयलेट भी है न सर। इंडियन भला उस टॉयलेट को कैसे यूज करने को सकता सर। उसे तो टॉयलेट को भी स्लीपर क्लास के माफिक यूज करने का हैबिट ठहरा। फिर वह तो टॉयलेट में टॉयलेट की तरह सिट के बाद वाटर भी माँगता सर। इस टॉयलेट में वाटर नहीं होने का सर।

आपको क्या है सर, आई नो, आपको तो आफ्टर सिट ओनली पेपर की डिमांड होने का सर। पेपर की इधर में कोई कमी नहीं सर। अपन का तो पूरा कंट्री ही पेपर पर चल रहा होने का सर। छप्पन साल से बिरोबर चलता चला आ रहा है सर।

फिर अपन के वाटर की क्वालिटी भी तो डाउटफुल है न सर। रिफाइंड क्वालिटी का वाटर फिलहाल अपन के पास बहुत थोड़ा होने का सर। अपन बहुत हिफाजत और कंजूसी से उसको यूज करता है सर। किसी भी सभा-कॉंफ्रेंस में जाकर आप जज कर सकता है सर कि अपन केवल मंचासीन पावरफुल लोगों के वास्ते बोतल बंद पानी मँगाता है सर। लिसनर पब्लिक को तो टेप वाटर भी कभी-कभार पीने को दे पाता है सर। अपन का थ्योरी है सर कि ऊपर वालों का हाजमा जरूर चंगा रहना चाहिए, वरना अपन के देश को इंटरनेशनली भिखमंगा कौन बताने को जाएगा?

फिर वाटर का फंडा अइसा भी है सर, अपन आपको कांफिडेंसल फैक्ट बताता सर, कि वाटर से अपन को एलर्जी भी है सर। वाटर-वाटर सुनकर अपन का कान पक गएला है सर। जिसे देखो वही पानी-पानी चिल्लाता है।

अल्ला मेघ दे, पानी दे, रबानी दे।

बरसो राम झलाझलिया।

इस चीख-पुकार के बाद भी अपन का भाई लोग न तो किसी अवतार से वाटर पाया, न सरकार को शर्म से पानी-पानी कर पाया। हाँ इस सबके चलते अपन को और अपनी सरकार को वाटर लफ्ज से ही हेट जरूर हो गया। इसीलिए अपन ने और अपन की गवर्नमेंट ने इस शस्य-श्यामला कंट्री में वाटर नाम से बनने वाली फिल्म तक की शूटिंग नहीं होने दिया। अपन को शक था कि यदि वह फिल्म बन गई और जनता ने देख ली तो उसे भी और आप सबको भी वाटरफोमिया हो जाता।

छोटा मुँह बड़ी बात मत समझिएगा सर, अपन की सरकार, हाँ-हाँ आप ही की नुमाइंदा सरकार, वह तो मिस्टेक में अपन की कह गया सर, सो भी इस करके कि आपकी तरह वह कभी-कभार तो इस देश में विजिट करने को नहीं न आती, यहीं रहती है। दिखाई भले ही न देती हो, पर उसका जलवा, उसका भेजा जलजला तो हर कदम पर महसूस होता है न सर। पानी की तरह बटोरे और आपके स्विस बैंकों में जमा करवाए उसके करोड़ों नोटों के बारे में भी कभी-कभी न्यूज पेपर के जरिए अपन को भनक लग ही जाती है। तब अपन उसका तो कुछ नहीं बिगाड़ पाते, अलबत्ता उन खबरों से अपन की यह समझ जरूर पुख्ता हो जाती है कि इस देश में कागज की, पेपर की कितनी कीमत है। जहाँ भी चलता है, पेपर चलता है, जो भी चलता है पेपर पर चलता है, पेपर पाने के लिए चलता है। सारी बहारें पेपर पर आती हैं, तमाम क्रांतियाँ पेपर पर लाई जाती हैं।

खैर, जो भी हो, पर इस सबके चलते अपन को कभी-कभार ऐसी मिसअंडरस्टेंडिंग

हो जाती है कि वह अपन की है। पर डोंट माइंड सर, हम बहुत जल्द अपन की मिस्टेक सुधार लेता है। आपने देखा ही है सर, जितनी बार अपन से यह मिस्टेक हुआ, अपन एव्री टाइम विदिन ए सेकेंड सुधार लिया। अपन की, माफ कीजिएगा फिर मिस्टेक हुआ, आई मीन आपकी सरकार हर समय, हर टीवी चैनल पर, तमाम सुपर स्टारों से यह कहलवा-कहलवा कर जनता-जनार्दन को, यहाँ की पब्लिक को, आपके मिलियंस और विलियंस वुडवी कंजूमर्स को सिखा और रटा रही है कि वाटर नहीं माँगने का।

ये दिल माँगे मोर—क्या—पेप्सी।

ठंडा—मतलब—कोकाकोला।

हाँ, ठंडा—मतलब—कोकाकोला।

यू नो, बहुत ही बेकवर्ड और अनपढ़ पब्लिक है यहाँ की। हालाँकि अपन की सरकार ट्राई कर रही है कि वह इतनी लिट्रेड तो हो ही जाए कि मल्टीनेशनल कंपनीज के कंजूमर आइटमों के नाम पढ़ सके। इसके वास्ते प्राइमरी क्लासेस से ही अँग्रेजी कंपलसरी कर दी गई है। अब अपन के देश का ऐसा है सर कि बहुत-सा गार्जियन तो बच्चा लोगों को प्राइमरी तक भी नहीं पढ़ाना माँगता, उसके पैदा होते ही उसे पेट पालना सिखाने लगता है। सरकार जान चुकी है कि पढ़ाई पर इतना भारी-भरकम बजट खर्च करके भी एमएनसी का हित साधन क्यों नहीं हो पा रहा। इसीलिए सरकार ने अब प्राइमरी तक हर बच्चे की शिक्षा और प्राइमरी स्टेंडर्ड से ही इंगलिश को अनिवार्य कर दिया है।

अब आप ही बताइए न सर, आपका यूएनओ, यूनीसेफ एजूकेशन के नाम पर इतना अनुदान, फंड अपन को दे और फिर भी यहाँ के कंजूमर को एमएनसी के प्राडक्ट का नाम तक पढ़ने में डिफीकल्टी हो, इसमें कौन-सी तुक और ग्रेसफुल प्लानिंग वाली बात है?

बुरा मत मानिएगा सर, यहाँ की सरकार की तरह यहाँ की पब्लिक भी थोड़ा देर से समझती है। समझने में थोड़ा एक्स्ट्रा टाइम लेती है। आप लोग जब यहाँ से गोन कर गए, उसके कई साल बाद तक यह यही समझती रही कि अभी भी आप ही यहाँ के राजा बहादुर हैं, लाट साहब हैं। अब, जब आप फिर से कुछ गेन करने यहाँ आ पहुँचे हैं, यहाँ के माई-बाप हो चुके हैं, खुद को अपन का वेलविशर ऐलान कर चुके हैं, तब भी यह पब्लिक अभी भी यही जानती-मानती आ रही है कि यहाँ आज भी उसी का राज है। उसी के वोट से इस देश के रखवाले चुने जाते हैं।

पर डोंट वरी सर, इसे जमीनी हकीकत समझनी होगी। समझेगी भी। यह समझ लेने में ही इसकी समझदारी है।

ओ हो, बातों-बातों में पता ही नहीं चला सर कि अपन के सफर का पहला पड़ाव कब आ गया।

॥ दो ॥

सर, आप लोग यहाँ अपनी आँखों यह देख सकेंगे कि सरकार सिर्फ विज्ञापनबाजी से अपन लोगों को वाटर माने पेप्सी और वाटर माने कोकाकोला नहीं रटा रही है, बल्कि आपके इन फेंटास्टिक कोल्ड ड्रिंक्स को गाँव-गाँव तक, गले-गले तक पहुँचाने के लिए प्राण-पण से जुट चुकी है। सरकार ने तय किया है कि आपके देवलोक के ये शीतल पेय अपन के तमाम नारकीयों के गले में उतारने के लिए वह हर संभव-असंभव कदम उठाने से पीछे नहीं हटेगी। इसके राज में सभी इनका पान करके अपने देवता के समान नीलकंठ हो सकेंगे। सरकार नहीं चाहती कि विषपान की हमारी प्राचीन और उपयोगी परंपरा विनष्ट हो। इससे उलट सरकार चाहती है कि इस समतावादी समाज में नीलकंठ बनने का अवसर सबको सुलभ हो। जो अवसर अपन की नदियाँ, कुएँ अपने वाटर से सुलभ नहीं करा सके, वह पेप्सी, कोकाकोला सुलभ कराए। नीलकंठ होना केवल सवर्णों की, उच्च वर्गों की सनक और बपौती न रहे।

एक्सक्यूजमी सर, मेरी बात पर गौर कीजिएगा सर। ये जो आपके सामने दूर तक पसरा पड़ा है, यह केरल के पालक्काड जिले का प्लाचिमड़ा गाँव है सर।

यह क्या सर? आपके चेहरे पर स्माइल? वह भी भेदभरी। खुशी की तो नहीं है सर। खुशी की मुस्कान तो अपन तुरंत पहचान लेता है सर। बहुत रेयरली नजर आती है न सर। बुजुर्ग लोग कहते हैं, वंस अपान ए टाइम, जब आप लोग नया-नया क्विट इंडिया करके गया था, तब हर किसी के चेहरे पर खुशी की मुस्कान देखी गई थी। फिर तो जैसे-जैसे आप लोगों का फिर से कम इन इंडिया हुआ, अपन का देसी लोग चेहरे पर केवल खिसियानी मुस्कान लाने के काबिल रह गया। आप सर लोग भी खुश दिल वाली नहीं, भेदभरी मुस्कान के साथ अपन की कंट्री में फिर से एंट्री लिया। अपन की हर बात पर, हर चीज पर आप जैसा ड्रीमलैंड का वासी जब भी तवज्जो देता नजर आता है, अपनी स्किन पर ससपीसियस स्माइल ला पाता है।

सर, आप लोग ऐसा क्यों करता है? क्या अपन ने आपसे झूठ बोला कि यह एक गाँव है? नो सर, यू विलीव मी सर। यह विलेज ही है सर। रियल इंडियन विलेज।

अपन समझ गएला है सर कि आप लोग किस चीज को देखकर भेदभरी मुस्कान बिखेरा। उस चीज को अपन ने भी देखा सर। उसे देखने के बाद भला कौन कहेगा कि यह एक हिंदुस्तानी गाँव है? इंडियन विलेज में इतनी सुंदर इमारत का होना नामुमकिन। वह भी वैस्टर्न पैटर्न की? कतई इमपोशिबल।

यू आर राइट सर, एब्सील्यूटली राइट सर, आलवेज राइट सर। पर वह तो आईलैंड है सर। एक टापू कह सकते हैं आप उसको। वह इस गाँव में है तो, पर सर, इस गाँव का हिस्सा नहीं है। हो भी नहीं सकती सर। नेवर। हाँ, एक दिन

यह गाँव जरूर इसका फास्ट फूड हो के रहेगा। फिर सर, अपन आपको यही इमारत और इसका जलवा दिखाने के वास्ते तो यहाँ लाया है।

यू नो, आई नो, बोथ अस नो सर कि आप जैसे साहब बहादुरों ने इंडियन गवर्नमेंट को इशारा किया, ताकीद की कि जो भी करो, ऐसा करो, जिसमें यह स्योरिटी रहे कि जिस पदार्थ का उत्पादन किया जाएगा, वह उत्पादित होगा ही।

अपन की सरकार ने इस नेक सलाह को सिर-माथे लिया। आपकी एनएनसियों से गुहार की कि अपन का देश तो कृषि प्रधान देश ठहरा, सो खेती के बारे में तो अपन जानते हैं कि उसका उत्पादन करने पर वह उत्पादित होगी ही, यह तय नहीं रहता। इसलिए खेती तो हम मुनादी करके बंद करवा देंगे। अनाज का क्या है, वह तो सात समुंदर पार से भी मँगाया जा सकता है। उधार में, भीख में। अलबत्ता, खेती की जगह ऐसी किस चीज का उत्पादन किया जाए जो इसी जमीन पर भी हो सके और जिसमें यह गारंटी भी हो कि उसका उत्पादन करने पर हर हाल में वह उत्पादित होगी ही, वह हमें तो पता नहीं, लिहाजा आप ही आओ और उस प्रोडक्ट का प्रोडक्शन शुरू कर दो।

तो सर, यह ऑफर और जिम्मेदारी सिर पर आ पड़ने पर, अपन की सरकार से डील तय हो जाने पर, आपकी एमएनसी ने यहाँ यह प्लांट लगाया।

हाँ तो सर लोगो, यह जो इमारत और प्लांट आपकी नजरों के ऐन सामने है, यह सब मल्टीनेशनल कंपनी कोकाकोला की प्रोपर्टी है। इस गाँव की चालीस एकड़ जमीन घेरकर इन्हें बनाया गया है। इस जमीन पर पहले खेती होती थी। जमीन तो उपजाऊ थी, पर यू नो सर, उस खेती में से कुछ जानवर चर जाते थे, कुछ पंछी-पखेरू चुग जाते थे, कुछ आदमी खा पाता था। कभी-कभी वह होती भी नहीं थी। कभी ज्यादा पानी गिरा तो नहीं हुई, कभी गिरा ही नहीं, तब भी नहीं हुई।

अब सरकार और एमएनसी कोकाकोला के कोलोब्रेशन से यह झंझट सदा-सदा के लिए दूर हो गया। फसल होगी या नहीं होगी, यह अंदाजने के लिए बादलों की तरफ निहारना, पानी बरसाने या न बरसाने के लिए किसी देवता से गुहार करना अब गुजरे जमाने की बात हो गई।

शॉफ्ट ड्रिंक अपन के गले में उतारकर हार्ड कैश आपके गल्ले में बटोरने वाली इस एमएनसी ने सरकार को भरोसा दिलाया था कि कोकाकोला का उत्पादन करने पर कोकाकोला शर्तिया उत्पादित होगी। यह एक जरूरी और सबके उपभोग का पेय पदार्थ ठहरा। खेती का तो सिर्फ ऐसा ही नहीं कि हुई तो हुई, न हुई तो न हुई, बल्कि ऐसा भी है कि जरूरत हुई गेहूँ की, हो गया चावल। डिमांड हुई चने की, खेत ने उगल दी उड़द। अब गेहूँ भोजी चावल का क्या करे, और भात भोजी के लिए गेहूँ का होना न होना यूजलैस।

और कोकाकोला। वह तो सबकी है, सबके लिए है, मल्टीपरपज है। इतनी

ताजा, पवित्र और पावन कि चाहो तो मरणासन्न के मुँह में गंगा जल की जगह दो बूँद डाल दो। बहुत मुमकिन है कोक मिल जाने पर वह अपना मरना मुल्तवी कर दे।

हर मौके पर रंग, कोकाकोला के संग।

हाँ भई, जरा ठंडा देना। ठंडा—मतलब—कोकाकोला।

जब से यह प्लांट लगा है, तभी से कहता दिख रहा है हमारा वह सुपर स्टार, जो हमें लगान के बहाने नकली क्रिकेट मैच दिखाकर आस्कर दिलाने चला था। नहीं दिला सका, कोई गम नहीं। वैसे कितने फख्र की बात होती, अगर अपन के पास भी एक आस्कर होता। पेप्सी, कोकाकोला और आस्कर। अहा। कैसी मनोहारी त्रिमूर्ति होती। खैर जी, आस्कर पर डालो मिट्टी, जब हम जैसे करोड़ों दर्शकों की जरूरत पेश आएगी, तब आपके हालीवुडियों को झख मारकर हमें आस्कर देना ही पड़ेगा। जैसे अपने कास्मैटिक्सों की सेल परमोट करने के लिए हमारी हाफ डजन सुकुमारियों को मिस वर्ल्ड, मिस यूनिवर्स, मिस अर्थ के मुकुट पहनाए। हाल-फिलहाल यह भी तो कोई कम बड़ी एचीवमेंट नहीं कि इसी बहाने अपन का सुपर स्टार, अपन की जुबान में, अपन के ही लिबास में, पर्दे पर बार-बार आ-आ कर अपन को, अपन के पूरे मुल्क को, अपन की पूरी जनता को, आप के तमाम संभावित उपभोक्ताओं को रात-दिन यह रटाता दिखाई देने लगा है कि ठंडा—मतलब—कोकाकोला। बोल तेरे कितने बाप? जी-पाँच। काश वह यह भी खुलासा कर देता कि पाँच कौन—ब्रिटेन, अमेरिका, फ्राँस, जर्मनी, इटली—या कोई और?

तो जैंटलमैन, हम इस समय केरल के जिला शहर पाल्लकाड से राउंड अवाउट थर्टी किलोमीटर और तमिलनाडु स्टेट के पश्चिमी मीनाक्षीपुरम् से जस्ट फाइव किलोमीटर अंदर खड़े हैं। यह जो कोकाकोला का हैवी और ह्यूज प्लांट आप देख रहे हैं, इस प्लांट में सत्तर स्थायी और डेढ़ सौ अस्थायी कर्मचारी रोजगार पाए हुए हैं। भला, भारत के किसी गाँव में इतने लोग बारोजगार हो सकते हैं? नहीं, नहीं, नहीं। जब तक किसी एमएनसी के कदम वहाँ न पड़ें, तब तक कतई नहीं।

इस हिसाब से गाँवों के लिए एमएनसी का आना तो शुभ ही हुआ न। पर ये गाँव वाले ठहरे नामसझ। न ये बदलाव को आसानी से पचा पाते हैं, न अपने हितू को पहचान पाते हैं।

जिन लोगों को इस प्लांट के आसपास देखकर आप लोग मुँह बिचका रहे हैं न सर, ये सब उसी किस्म के लोग हैं। पर आप इनकी परवाह कतई न करें। ये थोड़े ही दिन के मेहमान हैं। अगली बार जब आप यहाँ विजिट करेंगे, तब इनमें से एक भी नामुराद चेहरा आपकी ग्लोबल आँखों के सामने नहीं आने का।

अरे, ये क्या सर? आप तो उदास हो गए। बच्चा लोग सही गाया था, आप तो रियली बहुत ही इमोशनल हैं सर। बर्चुअली दयानिधान सर। हया की खान सर।

नो सर, नो सर। डोंट क्राई सर। यकीन कीजिए, अपन की, आई मीन आपकी नुमाइंदा अपन की सरकार इन्हें यहाँ से नहीं खदेड़ेगी। कभी नहीं। वैसा करने पर सरकार को इन्हें मुआवजा देना होगा, और ये अनपढ़ और जाहिल लोग उस मुआवजे का मिसयूज कर गुजरेंगे, जैसे आपके मुल्कों से चली और सरकारी हाथों से बमुश्किल, बेमन से बच-बुचकर इन तक पहुँचाई गई एड या अनुदान का करते रहे हैं।

इसीलिए तो अपन की सरकार ने अभी तक भोपाल में यूनियन कार्बाइड की गैस के हताहतों को मुआवजा नहीं दिया। उन्हें जितनी फौरी मदद दी, उससे कहीं ज्यादा रकम विश्व कविता समारोह जैसे जरूरी और पावन यज्ञ की आहुति में अपनी ओर से स्वाहा कर दी। यों उनको अब तक मुआवजा न मिलने की जो कागजी वजह बताई गई वह यह कि उस कांड में अपाहिज और बेसहारा हुए बताए जानेवाले लोग क्या वाकई उस कांड में उस दशा को पहुँचे थे या उनकी वंशानुगत नियति ही वह थी, यह तय होना शेष है। फिर यह भी अभी तय होना शेष है कि उस कांड का कुसूरवार कौन है? भूल किससे हुई? कारखाना चलाने वालों से हुई या कारखाना लग जाने के बाद भी, यूनियन कार्बाइड हेल कम इन इंडिया के बाद भी जिन लोगों ने उसके आसपास बने रहने की जुर्रत और हिमाकत की, उनसे हुई।

आई नो सर, आपके भस्मासुर यूनियन कार्बाइड को बंद होना पड़ा, इसकी अपन को रियली गिल्टी फील होता है सर, पर उसका एक बेनीफिट भी हुआ है। ये लोग जानते हैं कि यूनियन कार्बाइड में क्या हुआ था। फिर आफ्टर यूनियर कार्बाइड एपिसोड, क्या हश्र हुआ उनका जो उसके बाद भी वहाँ टिके रहे थे। ये लोग उससे सबक लेंगे और खुद ही यहाँ से दफा हो लेंगे।

आप सर अपन की बात का मतलब यह न लगाइएगा कि तब तक हाथ पर हाथ रखकर बैठे रहना होगा। नो सर, नो। यह प्लांट लगातार हाथ-पाँव मार ही रहा है। इसकी हरकतें देखकर ही तो यह आश बँधी है कि ये लोग यहाँ से गोन कर जाएँगे।

शायद आप न जानते हों, इन लोगों को पानी से बहुत लगाव है। पानी के मामले में ये बेहद कंजूस, इमोशनल और टची हैं। ये आप गोरों की तरह बुद्धिमान तो हैं नहीं। हो भी नहीं सकते, गोरे जो नहीं हैं। इन्हें तो मल विसर्जन के बाद पिष्ठ पृछालन के लिए भी जल चाहिए।

सर, आपको शायद पता हो, यह जो आपका कोकाकोला का प्लांट है न, इसमें से रोजाना सौ ट्रक कोकाकोला से भरे निकलते हैं। हर एक ट्रक में छह सौ केस होते हैं। हर केस में तीन सौ एमएल की बीस बोतलें होती हैं। लगभग पिचहत्तर करोड़ लिटर कोकाकोला बनाने के लिए हर रोज बीस लाख लिटर पानी इस प्लांट को चाहिए होता है। साठ बोर के ट्यूबवैल की मदद से रोजाना इतना पानी इस जमीन से निकाला जा रहा है।

आज की ताजा खबर यह है कि यहाँ का किसान यदि चार घंटे भी सिंचाई के लिए पंप चलाता है तो उसका कुआँ रीत जाता है, जबकि पहले चौबीसों घंटे साधारण पंप से पानी खींचने पर भी कोई कुआँ नहीं रीतता था। इससे साफ संकेत मिलते हैं कि जैसे-जैसे कुओं का रीतना बढ़ेगा, किसान यहाँ से पलायन करने लगेगा। वह खेती करना छोड़कर यहीं बना रहना चाहेगा, तो वह न तो पाशिबल होगा न टालरेट किया जाएगा।

दरअसल, एक ओर जहाँ प्लांट में इस्तेमाल के लिए जमीन की सतह के बहुत नीचे तक का पानी खींचा जा रहा है, वहीं प्लांट में इस्तेमाल के बाद जो वेस्ट पानी बचता है, वह प्लांट के आसपास जमीन की ऊपरी सतह पर बहा दिया जाता है। यह पानी इतना दूषित होता है कि उसे जानवर भी न सूँघना चाहे। वह पानी धीरे-धीरे यहाँ की नदियों में मिल रहा है। इससे उनका पानी भी पीने योग्य नहीं रहने वाला। आखिर यहाँ की औरतें कब तक सुदूर विजयनगरम, वेल्लूर या माधवानायर कालोनी से पीने का पानी भर कर लाएँगी? एक न एक दिन तो वहाँ के पानी का भी यही हाल होना है। यहाँ की औरतें बताती हैं कि वे इस प्लांट के आसपास के पानी से जब-जब दाल-चावल पकाती हैं, वे जरूरत से ज्यादा सख्त हो जाते हैं। उन्हें खाना और लोके के चने चबाना एक समान महसूस होता है।

लो, आप तो फिर डिप्रेश हो गए? यू आर रियली वेरी सेंसेटिव पर्सन, कौम, कम्यूनिटी।

अब अपन को लगता है, आपको यह फिक्र सताने लगी है कि ये यहाँ से दर-बदर होकर कहाँ जाएँगे। है न? डोंट वरी सर। और भला कहाँ जाएँगे—वहीं जाएँगे—गल्फ कंट्रीज में, मिडिल ईस्ट में। जहाँ आधा केरल पहले ही लेबर बनकर पहुँचा हुआ है। वहाँ अभी भी बहुत लेबर शार्टेज चल रहा है सर। वहाँ इनको बहुत लाइक किया जाता है। इनके भाईबंद वहाँ पहले से होने से इन्हें वहाँ होमसिक भी फील नहीं होता। बल्कि ये तो वहाँ, यहाँ से भी ज्यादा होमली फील करते हैं।

अब रहा आपके इस प्लांट पर काम करने वाले लोगों के लिए पानी मिलने का मसला, सो आप बंदापरवरदिगार जरा मेहरबानी करके फिर से इस लग्जरी बस में तशरीफ रखिए, आराम से पाँव पसार कर आँखें मूँदिए या साइट सींस के फोटो उतारिए, विदिन सम ऑवर, अपन आपको वहाँ पहुँचाएगा, जहाँ आपके इस मसले का, आपकी इस मानवीय चिंता, ह्यूमन प्राब्लम का सोल्यूशन, जवाब, आपका इंतजार कर रहा है।

साइलेंसरो, आई मीन शांतिप्रिय बगुलो, यहाँ पहुँचने के क्षण से जो शोर आपके कानों में लगातार गूँज रहा है, यों तो अपन आफ्टर फाइव मिनट इस शोर की जद से दूर जा चुके होंगे, फिर भी इस शोर की वजह और फायदा बताता हूँ।

दरअसल अपन की सरकार को इस देश में हाल-फिलहाल कुछ मुखौटे भी लगाने पड़ते हैं। यह शोर भी सरकार का एक मुखौटा है। सरकार जो है, वह साफ-साफ यह नहीं कुबूल सकती कि उसने इतनी उपजाऊ जमीन पर आपकी कोकाकोला को प्लांट लगाने की इजाजत दी है। इससे उलट सरकार तो इस बात का स्यापा मचाती है कि वह नहीं चाहती कि यहाँ कोकाकोला का प्लांट लगे। जिस जमीन पर यह प्लांट लगा है, वह कुछ किसानों की निजी संपत्ति थी, सो लोकतंत्र के तकाजों से बँधी यह बेचारी सरकार उन किसानों के हाथ नहीं थाम सकी। उन्हें यह नेक सलाह नहीं दे सकी कि तुम अपनी जमीन किसी मल्टीनेशनल कंपनी को मत बेचो। लेकिन गरीबों की हितू, किसानों की खैरख्वाह, खेती के विकास के लिए कृतसंकल्प यह सरकार किसानों को, गरीबों को संरक्षण देने के अपने बुनियादी वायदे पर आज भी कायम है। लिहाजा सरकार इस प्लांट को अपनी ओर से बिजली न देकर इसके चलने में अड़चन खड़ी करेगी। यह इस सरकार का अंतिम और जनहित में लिया गया सर्वसम्मत फैसला है।

सो सर, सरकारी बिजली के अभाव में प्लांट को अपने निजी, डीजल से चलने वाले जेनरेटरों से बिजली तैयार करनी पड़ती है। यह शोर उन्हीं जेनरेटरों से उठ रहा है। यह आवाज, यह शोर तो दरअसल इस प्लांट का निरंतर हो रहा प्रचार है कि यहाँ अनवरत काम जारी है। इस शोर को सुनने वाले खुद-ब-खुद समझ जाते हैं कि यह एमएनसी सरकार से भी ज्यादा ताकतवर है। तभी न सरकार के न चाहते हुए भी सरकार के सीने पर कोक फेंट रही है।

आपको यह जानकर खुशी होगी सर कि कल जब बिजली का निजीकरण हो जाएगा, तब सरकार को बहानेबाजी से निजात मिल जाएगी और यह शोर भी थम जाएगा। हालाँकि सरकार को इस शोर पर आपत्ति करनी चाहिए, पर वह नहीं करती। अब इतना तो आप जानते ही होंगे सर कि सरकार ऐसा क्यों नहीं करती। सरकार यह थोड़े ही न चाहती है कि यह प्लांट यहाँ न लगे। उसे खबर है कि इतना डीजल खर्च करने की औकात इस कंपनी में है। और क्यों न हो? डीजल का खर्च मिलाकर भी बमुश्किल एक रुपया लागत से तैयार होने वाली हर बोतल जब बाजार में पंद्रह रुपए में हाथों-हाथ बिकती हो, तब डीजल तो डीजल, सरकार तक का खर्च उठाना आपकी इस एमएनसी के लिए कोई खर्च में खर्च उठाना हुआ भला?

॥ तीन ॥

गुड आफ्टर नून सर। एक बार फिर वेल कम इन इंडिया सर।

आप साहबान को झपकियाँ आने लगी थीं, सो इस बीच मैं मौन रहा था सर। अब आप लोग जाग ही गए हैं, तब अपन आप साहबानों को बता दूँ कि अब अपन छत्तीसगढ़ नाम के स्टेट में आ पहुँचे हैं। यह इस स्टेट के दुर्ग जिले का मोहलाई गाँव है सर। यह जो सामने कल-कल करती बह रही है, यह शिवनाथ नदी है सर। यहाँ के निवासी दुनिया भर में ही नहीं, खुद अपन के हिंदुस्तान में भी अजूबे की तरह देखे और लेखे जाते हैं सर। जाने कहाँ-कहाँ के लोग इनके फोटो उतारने यहाँ आते हैं। इनके घोंटुलों में ताक-झाँक करते हैं। घोंटुल...यों समझिए जैसे आपके नाइट क्लब। इनकी मासूम, मजलूम, इनोसेंट बेटियों के अर्धनग्न जिस्मों को भूखी आँखों लीलते हैं। मुँह से तो यही उच्चारते हैं कि—वाह क्या नेचुरल ब्यूटी है, लेकिन मन-ही-मन सिसकारियाँ भर रहे होते हैं, उसे नोंच-खसोंट रहे होते हैं। सच कहूँ साहबो, मुँह से वैसा कहकर वे उस समय इनकी तारीफ नहीं कर रहे होते, बल्कि अपनी बेशर्मी पर पर्दा डाल रहे होते हैं। इस बहाने और कुछ लम्हे इनको आँखों-ही-आँखों में पीने का अवसर जुटा रहे होते हैं।

सपनों के सौदागरो, सबके लिए अजूबा रहे इन लोगों के आगे भी पिछले दिनों एक अजूबा हो गया। इन्होंने अपनी आँखों देखा, अपने कानों सुना कि इनकी जीवनरक्षक यह शिवनाथ नदी बिक गई है।

आप साफ-सफ्फाक, स्वस्थ-हैल्दी लोग वहाँ केरल में जानना चाहते थे न कि जब केरल का पानी पूरी तरह प्रदूषित हो जाएगा, तब वहाँ कोकाकोला प्लांट में काम करने वाले आपके बिरादरान शुद्ध, स्वच्छ पानी कैसे और कहाँ से पाएँगे?

जी हाँ साहबो, वे यहाँ का पानी पिएँगे। इस शिवनाथ नदी का। इस नदी में जो पानी जमा होता है, वह झरनों से आता है। यह मिनरल वाटर है सर। प्यूर निर्मल, प्यूर नेचुरल।

आप ही की एक और मल्टीनेशनल कंपनी के भारतीय नुमाइंदे छदामीलाल ने इस नदी को खरीद लिया है। यहाँ के आदिवासी मुख्यमंत्री ने सरकारी मुनादी करवा दी है कि यह शिवनाथ नदी अब बिक चुकी है। यह पर्सनल प्रोपर्टी है अब। किसी की निजी संपत्ति। लिहाजा इसके मालिक की इजाजत के बिना इस नदी का पानी इस्तेमाल नहीं किया जा सकता।

वैल एजूकेटेड लोगो, वह जो सामने बोर्ड लगा है, उस पर यहाँ के अनपढ़ आदिवासियों को साफ-साफ हर्फों में सूचना दी गई है कि—सभी ग्रामवासियों को सूचित किया जाता है कि वे इस नदी का पानी पीने के लिए, पशुओं के लिए, नहाने के लिए, सिंचाई के लिए प्रयोग में न लाएँ। इस नदी में मछली पकड़ना भी मना है। छत्तीसगढ़ की आदिवासी सरकार से यह नदी माननीय छदामीलाल ने खरीद ली है। नदी के पानी पर अब उन्हीं का कब्जा है। साढ़े तेईस किलोमीटर लंबाई तक और दो सौ मीटर गहराई तक इस नदी के पानी का प्रयोग छदामीलाल के अलावा

कोई नहीं कर सकता। जो करता हुआ पाया जाएगा, उसे अपने नागरिकों के जान-माल की रक्षा के लिए संकल्पबद्ध यह सरकार कठोर दंड देने को बाध्य होगी।

आप सुकुमार और हँसमुख लोगों को यह जानकर बेहद सुकून मिलेगा सर कि अब इस नदी का पानी बोतलों में भर-भरकर पूरे देश में बेचा जाएगा। आप जैसे थुल-थुल साहबों और साहिबाओं को अब इस देश में आने पर शुद्ध, स्वच्छ और पौष्टिक मिनरल वाटर का अभाव नहीं खटकेगा। आप जब चाहें तब इस वाटर से आचमन कर सकेंगे।

और हाँ सर, यदि संभव हुआ, कुछ ज्यादा ही तादात में ह्वेल कम इन इंडिया न हुआ तो देश भर के पंचतारा होटलों के तरणतालों को भी यही पानी मुहैया कराया जाएगा। ताकि आपके उदर ही नहीं आपकी श्वेत-धवल त्वचा भी मिनरल वाटर से तरबतर रह सके।

अब यह तो सर जी आप लोगों पर डिपेंड करता है कि आप किस-किसको ह्वेल कम इन इंडिया करने देते हो, किस-किसको क्विट इंडिया करने को मजबूर कर पाते हो। अपन का तो ऐसा है कि तमाम जरूरतें आप जैसों से ही पूरी होने के आसार हैं। सो अपन तो हर किसी दिशा में यही गुहार लगाने को लाचार हैं कि ह्वेल कम इन इंडिया।

वैसे अपन आपको एक और अजूबे की बात बताऊँ सर? यहाँ के लोग हैरान हैं कि यह हुआ कैसे? इनकी न जाने कितनी पीढ़ियों ने इस जमीन को हरा-भरा बनाने में अपना जीवन होम कर दिया, इस बंजर को आवाद करने में अपना सर्वस्व अर्पित कर दिया, फिर भी न यहाँ का जंगल इनका हो सका, न जमीन, न हवा, न आकाश, न जल ही। यह नदी भी कभी इनकी नहीं हुई। हमेशा शासन की ही रही, सत्ताधीश की ही रही। ये बूझना चाहते हैं—तो क्या छदामीलाल की सत्ता सत्ताधीश से भी बड़ी है? शासन पर भी उसका शासन चलता है क्या? क्या इसीलिए बिना एक छदाम भी अपनी जेब से खर्चे, यह नदी छदामीलाल की हो सकी।

आपसे यह डील भला कहाँ छुपी होगी सर, फिर भी अपन आपको बताता हूँ कि आप जैसी डवलप्ड कंट्री की किसी एमएनसी के इस इंडियन एजेंट ने इस नदी को नौ करोड़ इंडियन करेंसी में खरीदा है। इस नौ करोड़ में से सात करोड़ इसी स्टेट की सरकार से कर्ज पर लिए हैं, शेष दो करोड़ इसी क्षेत्र के लोगों को अपनी कंपनी के टैक्स फ्री शेयर बोंड बेचकर बटोरे हैं।

ये लोग हैरान इसलिए भी हैं कि जिस आदिवासी सरकार के पास इन आदिवासियों को कृषि उपकरण खरीदने के लिए कर्ज के रूप में देने को एक फूटी कौड़ी भी नहीं थी, उसे छदामीलाल को देने के लिए सात करोड़ अपने खजाने के किस कोने-अंतरे में रखे मिल गए।

आप अमीर-उमरावों से अपन की गुजारिश है कि अपन की ये बेतुकी बातें

सुनकर आप लोग डिप्रेशन का शिकार न हो जाइएगा। ये सवाल जो इन दिनों यहाँ की फिजाँ में हैं, इन्हें आप पानी में उठने वाले बुलबुलों से ज्यादा अहमियत न दीजिएगा। कुछ अर्सा और गुजर जाने दीजिए, तब न ये सवाल जिंदा होंगे, न इन्हें हवा में उछालने वाले या इन्हें बूझने वाले ये नासमझ लोग।

इन लोगों को नदी का पानी लेने की मनाही हो ही चुकी है। जो लोग अब भी पंप से पानी खींचते पाए जाते हैं, उन्हें भारतीय दंड संहिता के अनुसार सजाएँ होने लगी हैं। यहाँ के एसडीएम बहुत ही सख्त जान हैं। उनके नौनिहाल भी कम काबिल नहीं। वे इतने काबिल हैं कि छदामीलाल ने हाथ जोड़कर उन्हें अपनी एमएनसी में मुलाजिम होने के लिए मनाया है। एसडीएम साहब नियमों का पालन करने, कानून का पालन करवाने, नागरिकों के जान-माल की हिफाजत को सर्वोपरि मानने वाले ठहरे। वे पानी चोरों को ऐसी सख्त सजा सुनाते हैं कि सुनने वाला पानी तक माँगने के काबिल नहीं रह पाता।

फिर आपके ये छदामीलाल भी कम दूरंदेशी नहीं ठहरे। इन्होंने नदी के दोनों तरफ दीवार खिंचवा दी है। जब-तब इस दीवार में दरार का आना आम बात है। जब भी दरार आती है, नदी का पानी आस-पास की बस्तियों में तांडव करने पहुँच जाता है। जब तक दस-बीस नरबलि न ले ले, थमने का नाम ही नहीं लेता।

सो एसडीएम से सजा पाने वाले और दरार की मार से तबाह होने वाले, कबीर की साखी गुनगुनाते यहाँ से जाते देखे जाने लगे हैं—मोए सुन-सुन आवे हाँसी, पानी बिच मीन पियासी।

दिन ढलने को है। आप साहबान यहाँ के इंतजामात से सैटिस्फाई हों, कोई क्वैरी, कोई कंप्लेन मन में न हो, तो कृपापूर्वक, बेफ्रिक होकर, रिलैक्स मूड में, अपनी लग्जरी में अपनी-अपनी आसंदी पर जा विराजिए। जो नेचरलवर साइट सींस के फोटो उतारना चाहें, शौक से उतारें। यहाँ की भील बालाओं की सुघढ़, अर्धनग्न देहों के फोटो लेना चाहें तो वे भी लें। हालाँकि अपन के देसी टूरिस्टों में अब इनके फोटो लेने का चाव कम हो गया है। जब से सेटेलाइट के जरिए, आपके देशों के कार्यक्रम हमारे अपने टीवी स्क्रीन पर, इस-उस बहाने आने लगे हैं, नित नए चैनल उन्हें हमारे बिस्तर पर पहुँचाने लगे हैं, उनमें आपकी स्वस्थ-धवल, सुतवाँ-सलोनी, गोरी-गदराई बालाओं की अर्धनग्न ही नहीं, न्यूड, नेकेड, अलफ, जीती-जागती, उन्मुक्त, उत्तेजक, सेक्सी कायाएँ देखने के बाद अपन को अपन की ये बालाएँ गदराई कम कुरूप और बेकवर्ड, बीमार और लेजी ज्यादा लगने लगी हैं। अपन का सौंदर्यबोध हाईटेक हो गएला है। एकदम ग्लोबल। टनाटन बिंदास।

आप में से कुछ साहब बहादुर सोच रहे होंगे कि छदामीलाल को इतने घने जंगल में आकर नदी खरीदने की क्या सूझी। नाहक ही आपको भी इतनी लंबी और डेंजरस जर्नी करनी पड़ी। क्या इस छत्तीसगढ़ में कहीं और, किसी रमणीक जगह

पर, आन दि रोड, जहाँ फ्लाइट भी आती-जाती हो, वहाँ कोई नदी बिकाऊ नहीं थी? वैसे तो अब अपन यहाँ से विदा हो रहे हैं, जो साहबान आराम फरमाना चाहें वे आराम फरमाएँ। नया मुकाम आने पर अपन उनको एलर्ट कर देगा। जो साहबान इसकी वजह जानना चाहें वे अपन जो बताने जा रहा हूँ, उसे ध्यान से सुनें।

ऐसा नहीं है कि छत्तीसगढ़ में यही एक नदी हो। अपन की तो पूरी कंट्री ही फार सेल का टेग लगाए यूरोप भर में ट्रिप लगाती घूम रही है। इस प्रदेश की राजधानी के पास भी एक बड़ी और वह भी मिनरल वाटर से लबरेज नदी है, वह जगह भी बहुत रमणीक है। पर हुआ यह कि कुछ साल पहले वहाँ भेड़िया ग्रुप ने इंगलिश शराब बनाने का एक प्लांट लगाया था। उस प्लांट में शराब तो लाजवाब बनती है, लेकिन उस प्लांट में इस्तेमाल हुआ पानी चूँकि उसी नदी में छोड़ा जाता है, सो धीरे-धीरे उस नदी का पानी इतना प्रदूषित हो गया कि उसे आदमी तो क्या जानवर भी पी ले तो झूमने लगे। कुछ दिन झूमे और फिर हमेशा के लिए स्टेचू हो जाए। जानकारों का अनुमान है कि कुछ दिन बाद भेड़िया समूह अपना शराब का कारखाना बंद करके केवल उस नदी का पानी बोतलों में बंद करके बेच सकेगा। यों भी शराब पीने वाला आदमी कुछ ही दिन तो झूमता है, फिर तो समय से पहले स्टेचू ही बनता है।

आप लतखोरों को यह सब सुनकर मजा आया न? देखिए, कैसे बिन पिए ही झूमने लगे आप। यों आप साहबान चाहें तो अब मेरी बड़बड़ाहट पर कान न दें। वह इसलिए कि अब मैं नशे में हूँ। बिन पिए ही लड़खड़ाने लगा हूँ। भेड़िया समूह की शराब का जिक्र आने भर से अपन का हलक तर हो गएला है।

अपन अब पिनक में हूँ। अब अपन अपने वास्ते, ओनली अपन के वास्ते गुनगुनाऊँगा, गाऊँगा।

दे दी हमें आजादी बिना खड़ग बिना ढाल,
साबरमती के संत तूने कर दिया कमाल।
हम लाए हैं तूफान से कश्ती निकाल के
इस देश को रखना मेरे बच्चो संभाल के।
जाने कहाँ गए वो दिन, कहते थे तेरी राह में,
पलकों को हम बिछाएँगे, चाहे जहाँ भी तुम रहो।
सुहाना सफर और ये मौसम हँसी,
हमें डर है हम खो न जाएँ कहीं।
मेरा जूता है जापानी, ये पतलून इंगलिस्तानी,
सिर पे लाल टोपी रूसी, फिर भी दिल है हिंदुस्तानी।
साला मैं तो साहब बन गया, ये सूट मेरा देखो,
ये बूट मेरा देखो, जैसे गोरा कोई लंदन का।
सफर है सुहाना सुहाना, नशे में जहाँ है,

किसी को किसी की खबर ही कहाँ है।
साथी हाथ बढ़ाना। एक अकेला थक जाएगा,
मिल कर लूट मचाना।
जहाँ डाल डाल पर एमएनसी चिड़ियाँ करती हैं बसेरा
वो भारत देश था मेरा, वो भारत देश था मेरा।
काली कलकत्ते वाली तेरा वचन न जाए खाली।
जल तू जलाल तू, आई बला को टाल तू।
चल गया, चल गया, चल गया, सरकार का जादू चल गया,
बंगाल का जादू चल गया...

॥ चार ॥

गुड ईवनिंग सर। एक बार फिर वेल्कम इन इंडिया सर।

ओह। यह गुड ईवनिंग लफ्ज कहने से पहले अपन की जीभ कट कर गिर ही क्यों न गई सर?

यकीन जानिए सर, आई स्वे सर, आप राजा-बहादुरों के सामने गुड ईवनिंग लफ्ज उच्चारते अपन को उतना अफसोस हो रहा है, जितना आपको इसे सुनने में मलाल न हुआ होगा।

लाट साहबो, अहा, वे भी क्या दिन थे जब सर आपके राज में सूरज डूबता ही नहीं था। ईवनिंग आती ही नहीं थी। वह तो बुरा हो गाँधी बाबा जैसे फकीरों और सिरफिरों का, जिन्होंने आपके अजेय साम्राज्य में सूर्यास्त की परंपरा की नींव खोदी।

पर डोंट वरी सर, अपन की, आई मीन आपकी इजाजत और सहूलियत से अपन के देश में बनी सरकार इस फ्रंट पर पूरी तरह एलर्ट है। वह दिन दूर नहीं जब फिर से आपकी 'न्यू एंड कंपनी' के राज में सूरज का चमकना कभी एंड को नहीं पहुँचेगा। आप चाहें तो हैल्दी-वे में इस अंतराल को सूर्यास्त नहीं सूर्यग्रहण मान सकते हैं।

शुभलाम-सुफलाम बाबू लोगो, हमारी लग्जरी बस वेस्ट बंगाल के चौबीस परगना जिले में सुंदर वन के पास पहुँच चुकी है। हालाँकि ले-देकर हमारे पास यही एक बंगाल है। इसे वेस्ट बंगाल नाम आपने तब दिया था जब बंगाल के दो टुकड़े किए थे। आपका वह ईस्ट बंगाल पहले ईस्ट पाकिस्तान हुआ, आप ही के हाथों हुआ, फिर बाँगलादेश हो गया। इस बीच अपन ने कलकत्ता को कोलकाता भले ही कर लिया पर वेस्ट बंगाल वेस्ट बंगाल ही रहा।

' हमारे बच्चे अक्सर स्कूल में भूगोल पढ़ते समय सवाल करते हैं कि यह पश्चिम बंगाल है तो कहीं पूर्वी, उत्तरी, दक्षिणी बंगाल भी तो होगा। वह कहाँ है? अपन के पास कोई उत्तर नहीं होता, फिर भी अपन अपने इकलौते बंगाल को केवल बंगाल के नाम से नहीं पुकारते। यह आप द्वारा दिया गुड और लकी नेम है न सर।

बहरहाल, इस सुंदर वन से थोड़ी ही दूर पर जंबू द्वीप नाम का एक निर्जन टापू है सर। निर्मल, कलकल जल से ओत-प्रोत। कभी इस पूरे भारतीय उप-महाद्वीप को जंबू द्वीप कहा जाता था और हमारे अविभाजित भारत को इसका भरत खंड कहते थे। अब जंबू द्वीप के नाम पर बचा है बंगाल की खाड़ी का यह छोटा-सा द्वीप। यह बहुत जल्द आपकी आरामगाह में तब्दील होने को है। आप साहबान दिन भर देश के चप्पे-चप्पे में अपने व्यापार-व्यवसाय की निगरानी के बाद यहाँ आराम फरमाने आया करेंगे। यहाँ के स्वच्छ, शांत और निर्मल जल में मोटर बोट पर अपनी प्रिया या प्रेमिका, सहयोगिनी या मुलाजिमा के पहलू में पसर पर चाँद-तारों तक का व्यापार कर पाने के सपने बुना करेंगे।

अपन ने आपको बिल्कुल शुरू में, इस सफर की शुरुआत में बताया था न सर कि अपन की एक निजी कंपनी यानी प्राइवेट एयरलाइंस बुहारा एयरवेज ने इंटरनेशनल उड़ानें शुरू की हैं। वही आपको, आपके सुंदर और समृद्ध देशों से इस भारतवर्ष तक अपने हवाई जहाजों में लाएगी और यहाँ इस जंबू द्वीप में विश्राम के लिए पहुँचाएगी। आपकी आरामगाह बनाने के लिए उसने इसी द्वीप को चुना है, वही पश्चिम बंगाल की वामपंथी सरकार से इसकी खरीद-फरोख्त की चर्चा पिछले कई साल से चला रही है।

आपने आज सुबह इस लग्जरी बस में बैठते ही हमारे देश के आज के अखबारों पर एक नजर डाली होगी। उन सभी में मुख पृष्ठ पर जो साहब इस स्टेट के चीफ मिनिस्टर से गुफ्तगू करते तस्वीर में दिखाए गए हैं, वही बुहारा समूह के मुखिया बुहाराश्री हैं। उन्होंने इसी डील को फाइनल करने के लिए कल सीएम को अपना कीमती वक्त दिया था।

आप पुराने रईस लोग, शायद आप अपन के बुहाराश्री के बारे में ज्यादा कुछ नहीं जानते होंगे। मुमकिन है कुछ भी न जानते हों। वह उस जमाने के किसी रईसजादे के वंशज नहीं हैं न, जिन्हें आप राय बहादुर, राय साहब, सर सेठ जैसे तमगों से नवाजा करते थे। ये आपका राजपाट यहाँ से उठ जाने के बाद पनपे धनकुबेरों में से एक हैं। चिट फंड से धन कमाने वाले और शहर-शहर नए घर बनवाने वाले बिल्डर, जिनके बारे में अपन का एबी सुपर स्टार कहता है, उन घरों में भारत बसता है। हमारे लाजवाब खिलाड़ियों की चौड़ी छाती को अपना होर्डिंग बनाने का हक पा चुके विज्ञापक।

खेलों से अपन को याद आ रहे हैं गोरे साहबों, राष्ट्रकुल खेल। कामनवेल्थ गेम।

सन दो हजार दस के राष्ट्रकुल खेल अपन के देश में करने की इजाजत देकर आप लोगों ने अपन को जो इज्जत दी है, उसे अपन की सरकार भला भुला पाएगी? न जी न। नेवर, नेवर। वह तो अभी से उन्हें दिल दे बैठी है। न होने तक ही नहीं, उनके हो चुकने के बाद भी दसियों साल तक उन्हें अपनी कामयाबी बताकर जनता के बीच भुनाने का मन बना चुकी है।

राष्ट्रकुल देश। यानी पिछली सदी तक आपकी हुकूमत में रहे, आपके झंडे तले जिए, आपके पाँवों से रोंदे गए, पददलित किए जाते रहे देश। ब्रितानी उपनिवेश के सदस्य देश। जबरन हथियाए गए देश। जो कायर सिद्ध हुए। पराजित हुए। विजेता को प्रभु मानने को विवश हुए। भला इतना गौरवशाली अतीत भी कोई भुलाने की चीज है? न भई न।

वह तो सर पेपर पर थोड़े हेर-फेर से दूसरे अक्षर यूज होने लगे हैं, जिसके चलते अपन के देश के पहले इंडिपेंडेंट डेमोक्रेटिक कंट्री इंडिया लिखा जाने लगा है, वरना यकीन मानिए सर, अपन का देश आज भी आपकी सरपरस्ती का भूखा है, कायल है। जब यह नाम आपका दिया है तब यह धरा-धाम भी आपकी ही हो, यह इसके आज के और भावी कर्णधारों की भी अंतिम अभिलाषा होगी।

आई होप सर, आप अपन की यह चिर अभिलाषा एक दिन जरूर पूर देंगे। जैसे अपन की युद्ध की भूख मिटाई, देह दर्शन की भूख मिटाई, हिंसा की भूख मिटाई, पराश्रित होने की भूख मिटाई, पराधीन होने की भूख भी एक दिन पूरी तरह मेट देंगे। आखिर यूँ ही थोड़े ही आपको उदार कौम कहा जाता है। तभी न आपने अपन के देश में इतनी बड़ी-बड़ी कंपनियाँ भेजीं। इतनी बड़ी-बड़ी कारें भेजीं। अपनी हितू और आज्ञाकारी सरकारें खोजीं। अपने देश और अपने द्वीप का इतना आला दर्जे का ज्ञान-विज्ञान भेजा। ताकि हमें जरा भी सिर खपाई न करनी पड़े और सब कुछ हस्तआंबवत सुलभ भी हो जाए। आप तो जी अपन के अलादीन के चिराग हो। आपने अपन के देशवासियों को अपने देशों में भी और अब यहाँ आकर भी अपनी सेवा-टहल का स्वर्णिम अवसर दिया। अपन के ईस्ट इंडियनों में पोंड और डालर कमाने की हुड़क और होड़ मचाई। ग्रीन कार्ड पाने की ललक और हवस जगाई। और अब रब्बा-सब्बा फुटबाल-सुटबाल करते-करते राष्ट्रकुल खेलों की मेजबानी भी अपन को सौंप दी।

आप जब राष्ट्रकुल खेलों में हिस्सा लेने आएँगे, तब आपको किसी किस्म की हैरानी-परेशानी से दो-चार न होना पड़े, अपन की सरकार की रातो-दिन की चिंता यही है। सरकार अभी से ढेरों फाइव स्टार, सिक्स स्टार, सेवन स्टार होटलों, एयरपोर्टों, पुलों, सड़कों, खेल के मैदानों, रिसार्टों के कंस्ट्रक्शन में जुट चुकी है। अपन का क्या है, घर का आदमी तो जमीन पर भी लंबलेट लगा सकता है, लगा ही रहा है, पर मेहमान, मेहमान तो जी, क्या कहा है अपन के पुराने विद्वानों ने, हाँ, हाँ, याद आया,

संस्कृत में कहा है जी उन्होंने—अतिथि देवो भव। अतिथि जो होता है वह देवता होता है।

अपन की सरकार बता रही थी कि अपन तो अपने पुराने राजे-रजवाड़ों के वंशजों को बोलचाल की भाषा में ही महाराज, महारानी, युवराज, राजमाता कहते हैं, लोकतंत्र के जनक ब्रिटेन में तो आज भी बाकायदा महारानी, युवराज हैं। पदेन हैं। उसी ब्रिटेन के राष्ट्रकुल खेल यहाँ होने से हमारे देश में हजारों विदेशी पर्यटक आएँगे, दर्शक आएँगे। उनके आने से अपन के देश का विदेशी मुद्रा का भंडार और भर जाएगा। बाद में यह विदेशी मुद्रा अपन के देश से विदेशों में नौकरी की तलाश में जाने वालों के, फिल्मों की शूटिंग करने जाने वालों के, गाने-बजाने वालों के राह-खर्च के, और सबसे पहले और सबसे ज्यादा किसी मंत्री-संत्री को जुकाम हो जाने या मियादी बुखार आने पर उस मियाद के पूरा होने से पहले ही विदेश में इलाज के लिए भेजे जाने के काम आएगी।

स्वीटी-श्वेती सर साहबो, यों तो किसी के मुँह पर उसकी तारीफ करना शोभा नहीं देता, लेकिन अपन इस समय विवश हूँ आप गोरों-नारों की तारीफ करने को। भला आप जितने भले मानुष किसी और ग्रह-उपग्रह पर भी विचरते होंगे, जो गैरों को भी गैर नहीं लेखते? हमने धक्के मार-मार कर आपको यहाँ से भगाया, फिर भी आप यह बताने और तय करने के लिए फिर यहाँ भागे-भागे चले आए कि हमें कब क्या करना चाहिए, कब किससे लड़ना चाहिए, कब किस की तरफ दोस्ती का हाथ बढ़ाना चाहिए। कब तक बम नहीं बनाना चाहिए और यदि बना लिया हो तो कब तक नहीं फोड़ना चाहिए।

हालाँकि कुछ सिरफिरे कहते हैं कि आप अपना व्यापार बढ़ाने वापस आए हैं। तो इसमें ताज्जुब की या लाँछन की या आपत्ति की क्या बात है? भला कौन तानाशाह नहीं चाहता कि उसका साम्राज्य बढ़े? कौन चोर नहीं चाहता कि उसे हर रात एक नए घर में चोरी का मौका मिले? कौन गिरहकट नहीं चाहता कि वह नित नई जेब पर हाथ साफ करे? कौन ठग नहीं चाहता कि उसे रोज एक नया अक्ल का अंधा टकराए? फिर जिस व्यापारी के पास माल होगा उसी का तो बिकेगा न। अपन के देश में हर वह चीज जो जीवन के लिए जरूरी है, ईजाद कर ली गई होती, या पर्याप्त मात्रा में मौजूद होती, तो भला आपको यहाँ पाँव पसारने का ठौर कैसे मिलता? अपन की जरूरतों को पूरा करने की आड़ में अपन में गैर जरूरी चीजों का भी चाव जगाने का मौका कैसे मिलता?

अब, जब आप हमारे अभाव दूर करने आ ही गए हैं, तब आपके आराम-विश्राम का खयाल रखना हमारा भी फर्ज बनता है कि नहीं? हम ठहरे पुराने, वह भी सदियों के अभ्यासी सेवादार।

इसीलिए, जी हाँ, महज इसीलिए अपन के नए-नए धनकुबेर बुहाराश्री इस जंबू द्वीप को खरीद कर ऐशगाह में तब्दील करना चाहते हैं।

कुछ साल पहले की बात है साहबो, बुहाराश्री अपने निजी विमान से इस जंबू द्वीप के आकाश मार्ग से गुजर रहे थे कि उनका दिल राह में जाने कहाँ बिला गया। अपने गंतव्य तक पहुँचने के बाद उन्होंने उसे दिल्ली में खोजा, मुंबई में खोजा, लखनऊ में खोजा, गोरखपुर में खोजा, कोलकाता में खोजा, लेकिन वह कहीं नहीं मिला। जब वह कोलकाता से वापसी उड़ान भरकर नोएडा की तरफ जा रहे थे तो देखते क्या हैं कि उनका दिल तो इस जंबू द्वीप में अठखेलियाँ कर रहा है। कुलाँचें भर रहा है। यहीं रमने की जिद कर रहा है।

पहले तो बुहाराश्री ने उसकी बहुतेरी मनुहार की, जब वह किसी भी तरह टस-से-मस होने को राजी न हुआ तब उससे वायदा किया कि वे उसकी दिली तमन्ना जरूर पूरी करेंगे। उसके कहे मुताबिक यहाँ ऐसी आरामगाह, ऐशगाह बनाएँगे जिनमें बारहों महीने, चौबीसों घंटे इंद्रसभाएँ सजेंगी। उन्हीं के बीच उसके और अपने लिए एक प्यारा-सा, न्यारा-सा ड्रीम-कॉटेज बनवाएँगे। तब कहीं उनके दिल का मचलना थमा।

बुहाराश्री ने अपने दिल को अपने पहलू में एहतियात से चाँपा और अपना एयरो प्लेन सीधे अपन के देश के सबसे मुलायम रक्षा मन्त्री की कोठी पर लेंड किया। उनके सामने अपना प्लान रखा और अपने दिल की तमन्ना पूरी करवाने के लिए उन्हें सुपारी देकर ही अपने मुकाम को रुखसत हुए।

इस खूबसूरत टापू से पिछले पाँच दशक से गरीब मछुआरे अपनी रोजी-रोटी कमा रहे थे। इनमें से कुछ ऐसे भी हैं जो पहले पूर्वी पाकिस्तान से यहाँ मछलियाँ पकड़ने आते थे। जब उन्हें यहीं की नागरिकता मिल गई, तब से वे यहीं पास ही में काक द्वीप में रहने लगे हैं। ये तमाम लोग मछली पकड़ने के मौसम में यहाँ आते थे। मछलियाँ पकड़ते थे। उन्हें सुखाते थे। मौसम खत्म होते ही अपने ठिकानों को लौट जाते थे।

लगभग दस हजार मछुआरे अक्तूबर से फरवरी तक के पाँच महीने इस टापू को आबाद किए रहते थे। जितने मछुआरे थे लगभग उतने ही नाव बनाने वाले, जाल बुनने वाले, पाल ठीक करने वाले, टोकरियाँ तैयार करने वाले, मछलियों की खरीद-फरोख्त करने वाले इस द्वीप पर आश्रित थे। वन विभाग इन मछुआरों को पाँच महीने के लिए मौसमी परमिट जारी करता रहा था ताकि वे यहाँ बेरोकटोक काम कर सकें।

बाद उसके साहबान, जो अपन ने अभी ब्रीफ किया, बुहाराश्री को यह जगह मन-ही-मन भा गई।

आनन-फानन सरकार से सौदेबाजी शुरू हो गई। यहाँ इस द्वीप पर निर्माण

का काम भी शुरू हो गया। बुहाराश्री को यकीन था कि एक बार को किसी और को तो सरकार सख्ती से अँगूठा दिखा भी सकती है, लेकिन अगर बीच में मल्टीनेशनल कंपनियों की सुख-सुविधा का मसला, उनके हित-अहित की आड़ ले ली जाए तो फिर सेंटर या स्टेट में सरकार चाहे दक्षिणपंथी हो चाहे वामपंथी, किसी भी दल या गठबंधन की हो, न कहने की हिम्मत नहीं जुटा पाएगी।

इन सबके बावजूद, सरकार जो है, जैसा कि आप भी जानते हैं, उसकी कुछ मजबूरियाँ भी होती हैं। वह खुले शब्दों में यह नहीं न कह सकती कि जंबू द्वीप ऐशगाह बनाने के लिए बुहारा समूह को सौंपा जाता है। रिसार्ट बनाने के लिए मछुआरों से उनका पचास साल से चला आ रहा हक छीना जाता है। उनके मुँह तक पहुँचा निवाला वापस थाल में रखवाया जाता है। सो सरकार ने पहले वन संरक्षण का हवाला दिया, फिर भूसंपदा को विनष्ट होने से बचाने का बहाना बनाया, फिर इस क्षेत्र से देशद्रोही गतिविधियाँ चलाए जाने का अंदेशा है, ऐसी शंका जताई। इन सबसे जब बात बनती नहीं दिखी, तब यहाँ आने वाले मछुआरों पर तस्कर होने का, पर्यावरण के शत्रु होने का आरोप मढ़ा। एक सदस्यीय जाँच आयोग का गठन किया। आयोग ने अपनी निष्कपक्ष रिपोर्ट में सरकार को चेताया कि इन मछुआरों ने बिना सरकारी इजाजत के इस प्रतिबंधित क्षेत्र में, संरक्षित क्षेत्र में पक्की इमारतें बना ली हैं, माल गोदाम बना लिए हैं। इनके चलते यहाँ का पर्यावरण नष्ट हुआ है। सरकार को अविलंब इनके आवागमन पर पाबंदी लगानी चाहिए और कुछ ऐसे उपाय करने चाहिए जिनसे इस द्वीप का विकास हो सके। यहाँ की प्राकृतिक सुषमा को हानि भी न पहुँचे और अधिकांश जनता यहाँ आनंदानुभूति के लिए आ सके।

कहना न होगा, सरकार ने आयोग की रिपोर्ट पर तुरंत संज्ञान लिया। इस रिपोर्ट की आढ़ में यह आदेश जारी कर दिया कि अब कभी किसी मछुआरे को इस जंबू द्वीप के पानी से मछली पकड़ने या यहाँ मछलियाँ सुखाकर इसके वायुमंडल को प्रदूषित करने की इजाजत नहीं दी जाएगी। इस बीच बुहारा समूह द्वारा बनाई गई कुछ इमारतों को मछुआरों की बताते हुए कठोर कार्यवाही के नाम पर ढहाया, शेष को आयोग द्वारा सुझाए गए उपायों पर अमल के नाम पर जस-का-तस बना रहने दिया।

हे नित नए एंडवेंचर्स के मुरीदो, शेष बची रह गईं उन्हीं इमारतों में ही आज की रात आप साहब बहादुरों को विश्राम लेना है।

आप माई-बापों से अपन की एक ही गुजारिश है कि आप किसी किस्म की चिंता-फिक्र के साथ रात न गुजारिएगा। इस मसले को लेकर कतई हैरान-परेशान न होइएगा कि कल क्या होगा? यहाँ आप लाट साहबों के लिए, ग्लोबलाइजेशन के सबसे उम्दा उत्पाद धनकुबेरों के लिए स्थायी देवलोक निर्मित हो सकेगा या नहीं?

यकीनन बनेगा। धड़ल्ले से बनेगा और सर्वसम्मति से बनेगा।

आखिर इसे जो बनाना चाह रहा है, उसके बारे में कुछ अपन से भी तो जानिए। इसे बनाने का मन बनाया है, बीड़ा उठाया है, हमारे भारतीय, राष्ट्रीय बुहारा परिवार ने। जिसका नारा है—कर्तव्य, निष्ठा और समर्पण। जिसका आह्वान है—गर्व से कहो हम भारतीय हैं, फिर सब कुछ बुहार लो। जिसके स्वर में स्वर मिलाने वालों का कहना है—मेरे बाप का सपना, सबका माल हो अपना।

वही बुहारा परिवार समूह, जिसके निदेशक मंडल में हमारा बिग बी सुपर-डुपर सिने स्टार, हमारा सबसे उम्दा खलनायक, हमारा कल का सबसे जाँबाज गेंदबाज जिसका कोई जुआब नईं, हमारा आज का मास्टर ब्लास्टर बल्लेबाज, हमारा सबसे मोहक गायक, हमारी स्वर साम्राज्ञी, हमारी विश्व सुंदरी, हमारे एक्स सीजे, हमारे एक्स चीफ चुनावायुक्त, हमारे सबसे मुलायम रक्षा मंत्री, हमारे सबसे कठोर मुख्यमंत्री, हमारे कई एक्स सेनाध्यक्ष, हमारे एक्स महाधिवक्ता, हमारे एक्स महालेखापरीक्ष कर, हमारे कई एक्स पीएम और एमपीस तक शोभायमान हैं।

आप साहबानों के खेल में, आप ही के मैदानों में, आप ही के दर्शकों के सामने, आप ही के नियमों के तहत, आप ही के लिए मुफीद मौसम में, आप ही को पटकनी देनेवाली हमारी क्रिकेट टीम जिसके नाम का बिल्ला अपने सीने पर टांगे, हर दिन टीवी स्क्रीन पर दिखाई देती है। जिसने हमारी हाकी टीम के उत्थान के लिए भी अपने खजाने का एक खन खाली करने का ऐलान कर दिया है।

देश का गौरव बढ़ानेवाले ऐसे समूह को एक नन्हे से टापू के पानी की मिल्कियत सौंपना तो बहुत ही छोटी-सी बात है, शर्म से डूब मरने के लिए जब अपन के पास चुल्लू भर पानी ही शेष बचा हो, संयोग से वह भी बुहारा समूह माँगने लगे तो उस पानी को भी उसकी अंजलि में उड़ेलकर अपन सूखी धरा पर ही सिर पटककर मरना गवारा करेंगे। मल्टीनेशनल्स का या उसके किसी शुभेच्छु का कोई सपना जंबू द्वीप के भरत खंड के इस भारत वर्ष में अधूरा रह जाए, यह अब हकीकत में तो दूर, सपनों में भी असंभव है।

आप साहब बहादुर, कृपानिधान, निश्चिन्त होकर अपने-अपने नर्म-मुलायम बिस्तर में जाइए, सपनों की दुनिया में खो जाइए, मीठी, सुकून भरी, मुकम्मल नींद पाइए और इस नाचीज को रुखसत होने की इजाजत नेक फरमाइए।

मेरे आकाओ, फिर आइएगा। व्हेल कम अगेन इन इंडिया। बार-बार, हजार बार व्हेल कम इन इंडिया। यहाँ अभी कई ताल-तलैयों में बहुत-सी नन्हीं-मुन्नी मछलियाँ निगली जाने को शेष हैं।

सभी कर्जदाताओं को, राज बहादुरों को, अरबों-खरबों ही नहीं संख्य-असंख्य डॉलर, पोंड, फ्रेंक, मार्क, येन, दीनार के मालिकान सपनों के सौदागरों को, आज की तारीख का अपन का आखिरी सलाम। गुड नाइट।

बहस बीच में

बस अभी दिल्ली के अजमेरी गेट से यमुना पार के ऐसे इलाके की ओर चली ही थी जो पहले कभी ग्रामीण क्षेत्र हुआ करता था, लेकिन इधर के दस-बीस साल में वहाँ खेतिहर जमीन रिहायशी जमीन में बदल चुकी थी। नौकरीपेशा लोगों ने वहाँ कच्चे-पक्के मकान बना लिए थे। इसी दौरान इन नई कॉलोनियों से कुछ ही पहले राजधानी के राष्ट्रीय राजमार्ग से सटे इलाके में बहुत से मुस्लिम परिवार आ बसे थे। ये तमाम लोग चार्टर्डनुमा बसों से रोजाना अपने-अपने काम पर आया-जाया करते थे। इन बसों को चार्टर्ड बस महज इसलिए कहा जाता था क्योंकि इनके स्टाप सीमित थे और इनमें एक ही दर से किराया लगता था, वरना इनमें चार्टर्ड बसों जैसी कोई बात नहीं थी। सब को अपना-अपना किराया खुद ही देना होता था।

सफर का समय बिताने के लिए लोग तमाम तरह की बातें रास्ते भर रोजाना ही किया करते थे। वही उस दिन भी हुआ था। एक यात्री ने कुछ इस अंदाज में गोया वह किसी एक सहयात्री से नहीं, सब से मुखातिब हो, अपना मंतव्य पेश किया, "मैं तो कहता हूँ जी इस शहरी विकास मंत्री विश्वमोहन को हटा ही देना चाहिए।"

"क्यों भई, कुल एक मंत्री तो काम का है, उसे भी..." किसी दूसरे यात्री ने अपनी राय जाहिर की।

"अजी, कहाँ काम का है, वो तो सुप्रीम कोर्ट ने..." पहले ने जवाब देकर भी जैसे पूरा जवाब देना जरूरी न मानते हुए अपना वाक्य अधूरा छोड़ दिया।

"चलो जी, किसी बहाने सही, काम तो करने लगा..." प्रतिप्रश्न करने वाले ने भी अधूरा वाक्य उछाला।

"पर मैं पूछता हूँ जी, यह जब भी करता है, तोड़फोड़ के काम ही क्यों करता है?" तीसरे यात्री ने दो अधूरे जवाबों के बीच अपनी ओर से एक और लेकिन पूरा होकर भी अधूरा सवाल जोड़ा।

"हाँ नहीं तो, इमरजेंसी में भी तोड़फोड़, अब रामराज में भी तोड़फोड़।" चौथे यात्री ने उसका सवाल पूरा किया।

"पर भाई जी, यह भी तो देखो, करता तो ठीक है न?" पहले यात्री के सवाल

पर प्रतिप्रश्न करने वाले ने अपनी ओर से जोड़ा।

"क्या ठीक करता है जी? अरे इन खाँ साहब से पूछो। ये बेचारे पिचहत्तर में तुर्कमान गेट से खदेड़े गए सो यहाँ पनाह ली, अब यहाँ से भी खदेड़ रहे हैं। बताओ भला, कहाँ जाएँगे?" पाँचवें यात्री ने छठे यात्री किन्हीं खाँ साहब को भी बहस में शामिल होने का न्यौता-सा देते हुए कहा।

खाँ साहब का उदाहरण दिया गया था इसलिए खाँ साहब को अपनी राय देना लाजिमी हो गया। वह बोले, "ठीक कहा जनाब आपने। जा के पाँव न फटी बिवाई, का जाने वह पीर पराई।"

"पर यह तो इन्हें देखना चाहिए था न कि यहाँ काम-धंधा लगाया जा सकता है या नहीं, इसमें विश्वमोहन का क्या दोष?" विश्वमोहन के पक्षधर यात्री ने खाँ साहब को बहस से बाहर करना चाहा।

"अमाँ क्या बकवास करते हैं आप भी! खामखाँ उसकी तरफदारी कर रहे हैं। एक तो हम जहाँ आबाद थे वहाँ से उजड़ना पड़ा। फिर नई जगह घर और धंधा चलाने के लिए जैसी हमारी गुंजाइश थी, वहीं तो जाते। हमें कोई शौक चर्राया था यहाँ आने का या ऐसा धंधा करने का, जिसमें हरदम जान जोखिम में रहती है और मुनाफा कुल उतना जितने बुलबुल के आँसू।"

"आपने बिल्कुल दुरुस्त फरमाया खाँ साहब। भला बताओ, यह कहाँ की शराफत है कि आप जनता को रोजगार दे नहीं सकते, जो किसी तरह हाड़ तोड़, पेट काट रोजगार से लगे हैं उन्हें उजाड़ने चले आए।" सातवें यात्री ने अपने को बहस में शामिल किया।

"बात तो आपकी भी ठीक है भैए, पर यह भी तो देखो शहर में कितना प्रदूषण फैल रहा है? कितनी भीड़ हो गई है।" मंत्री के पक्षधर की भूमिका निभा रहे यात्री ने सातवें की दलील को मान दिया साथ ही अपने मंतव्य को फिर दोहराया।

"ओ भाया, ओ भीड़ वाले भैए, जरा यह भी बता दे कि तुझे क्या भारत सरकार ने पालकी भेजकर घर से बुलवाया था इस शहर में? लगता है कोटे-मोटे से सरकारी नौकरी पा गया होगा।" आठवें यात्री ने तीखी और ऊँची आवाज में लेकिन हड़बड़ी में अपनी दलील पेश की। उसे संदेह था कि उसकी आवाज या तो पीछे की सीटों तक, जहाँ बहस का मुख्य केंद्र था, वहाँ तक पहुँचेगी नहीं, या फिर कोई और उसकी दलील पूरी होने से पहले ही बोल पड़ेगा।

"ये भाई, जरा जवान संभाल कर बात कीजिए। गाली गलौच हमें भी आता है।" ऊँची आवाज में आगे की सीट से आई दलील के जवाब में उतनी ही ऊँची आवाज में पीछे की सीट से नौवाँ यात्री दहाड़ा।

"मैंने कौन सी गाली दे दी जो इतना तुनक रहे हैं? और दी भी हो तो मैंने आप से तो कुछ भी नहीं कहा। मैं तो इन भीड़भाड़ वाले बाबू से कह रहा हूँ।"

आगे की सीट वाले यात्री ने जवाब तो दिया लेकिन इस बार उसकी आवाज में वह खनक और जोर नहीं था जो इससे पहले मंत्री के पक्षधर को पटकनी देने वाले यात्री से सवाल करने के दौरान रहा था।

"क्यों, अभी नहीं कहा, कोटे-मोटे से..."

"ओ बबुआ, ये गाली है क्या?" एक बुजुर्ग यात्री ने आगे की सीट वाले यात्री को ढाढस बंधाने के साथ ही पीछे वाले यात्री को बहस को गलत मोड़ देने की कोशिश के लिए शर्मिंदा करने की नीयत से कहा।

"आप चुप बैठिए बुजुर्गवार, मैं इनसे बात कर रहा हूँ।" कोटा शब्द पर उखड़े यात्री ने कहा।

"हाँ नहीं तो, बोल भाई, बोल। अब क्यों नहीं बताता? अबे, इस देश में पचास फीसदी और कहीं-कहीं तो उससे भी ज्यादा लोग कोटा पाने के हकदार हैं। तूने तो एक ही साँस में सबको गलिया दिया।" बहस बीच में खुद को शामिल करते हुए दसवें यात्री ने हाथ मटकाया।

'अरे छोड़ो भाई, इन बाबू टाइप लोगों की बात को तवज्जो नहीं देनी चाहिए। ये बेचारे पुरानी फाइलें उलटते-पलटते, उनकी संगत में खुद भी पुराने खयालात के हो जाते हैं।" एक अन्य बुजुर्गवार ने बहस को गलत दिशा में मुड़ते देख हस्तक्षेप किया।

"बताओ भला, अच्छी-खासी मंत्री पर बात कर रहे थे, फिसल गई न।" बारहवें यात्री ने ऐसा कह कर जैसे बहस करने वालों को याद दिलाया कि बहस का मुद्दा क्या था।

"हाँ जी, बताओ भला, लाखों घरों का चूल्हा बुझाने पर तुला है और मजा यह कि कोई रोकने वाला नहीं।" पहले यात्री ने कुछ इस अंदाज में बहस को फिर से मंत्री पर केंद्रित किया मानो यह उसी का नैतिक कर्तव्य हो।

"अजी, रोकेगा कौन? जो दौड़कर हाथ थाम सकता था वह तो अपने घुटने तुड़वाए अस्पताल में लेटा है। अब जब लंदन से या अमेरिका से कोई डॉक्टर आएगा, आपरेशन करेगा, तब कहीं वह चलने-फिरने के काबिल हो पाएगा।"

"वह तो है। पर आपने गौर किया इस मंत्री के हरकत में आते ही अपने इलाके में जमीनों के दाम एकदम गिर गए हैं।" तेरहवें यात्री ने दूसरे यात्री की तर्ज पर नई सूचना दी, लेकिन इस सावधानी के साथ कि कहीं वह भी दूसरे यात्री की तरह मंत्री का पक्षधर न मान लिया जाए।

"गिरेंगे क्यों नहीं? जब मजदूर ही शहर छोड़ जाएँगे तब यहाँ बचेगा क्या?" चौदहवें यात्री ने वजह उजागर की।

"अरे स्टेशनों पर देखो क्या बुरा हाल है। जो देखो वही शहर छोड़ता नजर आ रहा है।" पंद्रहवें यात्री ने रहस्योद्घाटन-सा किया।

"अजी बुरा हाल तो त्रिनगर के एक दुकानदार का है जो सिर पकड़ कर रो

रहा है।" सोलहवें यात्री ने एक और सूचना जोड़ी।

"दुकानदार तो नहीं हटाए जा रहे, क्यों भगतजी, आप भी मिंटो रोड की दुकान में काम करते हैं?" सत्रहवें यात्री ने अठारहवें यात्री भगतजी को बहस में न्यौता।

इससे पहले कि भगतजी बहस में कूदें, उन्नीसवें यात्री ने सत्रहवें यात्री की बात लपक ली, "अजी हटाए भी जा रहे होंगे तो भी इन्हें क्या फर्क पड़ता है। ये तो उसी मंत्री के इलाके में हैं। इनकी तो हिफाजत ही करेगा। है कि नहीं भगतजी?"

सत्रहवें यात्री की बात पूरी होते ही भगतजी कुछ कहने को आतुर हुए तो थे, लेकिन तब उन्नीसवें यात्री के यकायक बहस में कूद पड़ने से वह मौन ही बने रहे थे। अब खुद उसी यात्री ने अपनी राय ऐसे मुकाम पर ला छोड़ी जहाँ से चर्चा को आगे बढ़ाने का भार भगतजी पर आन पड़ा।

भगतजी ने इस भार को बखूबी अपने कंधों पर झेला, "न भाई न, इस मंत्री से ऐसी उम्मीद करना फिजूल है। और जगह तो लोगों को भगाया जा रहा है, पर अगर ये तीन साल और टिक गया तो उस क्षेत्र की तो चौथाई आबादी खुद ही भाग खड़ी होगी।"

"वो क्यों भगतजी? वहाँ भी ऐसे कल-कारखाने चल रहे हैं क्या, जिन्हें हटाया जाएगा?" बीसवें यात्री ने जानना चाहा।

"नहीं भाई, पर इस मंत्री के मारे लोग भागने को मजबूर हो रहे हैं।" भगतजी ने चर्चा में एक नया आयाम जोड़ा तो, लेकिन उसे खोला नहीं।

"कोई वजह भी तो होगी या ऐंबैंई?" बीसवें यात्री ने भगतजी को खुलासा करने के लिए उकसाया।

"बात ये है कि जब विश्वमोहन चुनाव में खड़े हुए तो कई छुटभैए नेता, कार्यकर्ता, उनके चुनाव प्रचार में जुट गए। जिसने चुनाव प्रचार के लिए जितना रुपया माँगा, इसने दिया। रुपए देते समय यह हिदायत भी दी कि जिस मद में खर्च करो, उसका हिसाब लिख कर रखना। फिर जो हुआ वह आप सब जानते ही हो कि यह चुनाव जीत गए। मंत्री बन गए। छुटभैयों की भी बाँछें खिल गईं। उन्हें लगा कि बस अब तो अगले-पिछले सारे काम मिनटों में सलटे समझो। लेकिन हुआ यह कि इस ने सबसे दी हुई रकम का हिसाब माँगना शुरू कर दिया। जिन्होंने हिसाब दिया उनसे कहा कि खर्च की रसीदें लाओ। जो रसीदें ले कर पहुँचे उनकी रसीदों की जाँच करनी शुरू कर दी। अब भैए, किसी भी छुटभैए ने जिस मद में रकम खर्च की थी, उसे तो हिसाब में लिखा नहीं था, कइयों ने तो खर्च ही नहीं की थी, सो ऐसे और वैसे सब के सब पड़ गए गफलत में। उन्हें मंत्री जी से कोई काम सलटवाना तो दूर चेहरा दिखाना भी आफत में पड़ना नजर आने लगा। मगर उधर मंत्री जी हैं कि हाथ धो कर उनके पीछे पड़े हैं, कहते हैं हिसाब दो, हमें भी आगे हिसाब देना है। सो उनके क्षेत्र के छुटभैए कसमें खा रहे हैं कि आगे से कभी किसी नेता

का चुनाव प्रचार नहीं करेंगे, और इस शहरी मंत्री का तो कतई नहीं करेंगे। यही नहीं, वे एक-एक करके क्षेत्र से ही रफूचक्कर हुए जा रहे हैं।'' भगतजी ने रहस्य का पूरा खुलासा किया।

''यह तो खूब रही। जो अपनों को ही नहीं बख्शता वह गैरों को क्या बख्शेगा। पर भाई साहब, ओ तीसरी सीट वाले भाई साहब, बस ठिकाने पहुँचने वाली है और आपकी बात बीच में ही छूटी हुई है।'' चौथे यात्री ने सोलहवें यात्री को फिर से चर्चा को आगे बढ़ाने के लिए न्यौता।

''कौन सी बात?'' उस यात्री को प्रसंग याद नहीं आया।

''वही, त्रिनगर के दुकानदार वाली बात। वह क्यों रोता फिर रहा है?''

''अरे हाँ, बात यह है कि उसकी दुकान से सैकड़ों फैक्ट्री मजदूर आटा, चावल, दाल वगैरह उधार लिया करते थे। पगार मिलने पर भुगतान कर देते थे। अब फैक्ट्रियाँ बंद होने से वे सब मजदूर रातों-रात डेरा खाली करके चले गए। जाने से पहले एक ने भी उस दुकानदार का हिसाब चुकता नहीं किया।''

''ओह, तो क्या हुआ? इतने सालों से साला दुकानदार उन्हें तोल में कम और बाजार भाव से महँगे दामों में चीजें बेच-बेच कर कमाता भी तो रहा होगा।'' पहले यात्री ने, जिसने सफर की शुरुआत शहरी मंत्री के जिक्र से की थी, तीखी और तल्ख आवाज में टिप्पणी की।

'चलो, एक मंत्री के बहाने ही सही, साले चोर, बेईमान, जमाखोर दुकानदार को चोट तो पहुँची।' इस सामूहिक नतीजे पर पहुँचने के साथ ही उस दिन की यात्रा-चर्चा को भी अंतिम विराम मिल गया।

बिजली चाहिए कि पॉवर?

तुम क्या करोगे बिजली का भाई? तुमको उजाले में ऐसा क्या देखना है जो अँधेरे में साफ-साफ नहीं दिखाई दे रहा? इतनी पारदर्शी सरकार जिसका सब कुछ आर-पार अँधेरे में, सात पर्दों में ढँका-मुँदा होने के बावजूद दिखाई दे रहा है, उससे बिजली की दरकार आखिर किसलिए? मान लीजिए, क्षण-भर को आपके घर में बिजली आ ही गई, तो! महँगाई की मार से चू आया पसीना क्या बिजली के पंखे में सूख जाएगा? नेताओं के पाले-पोसे गुंडे अगर बिजली के उजाले में घर में घुस आए तो क्या चोरी-चकारी करने से उन्हें रोक लोगे? बल्कि, बिजली होने से कहीं अपने बचाव के लिए छिप नहीं पाओगे। यही नहीं, अगर वे सरेआम बिजली की रोशनी में किसी की हत्या कर भी गए तो क्या तुम वक्त आने पर उनकी शिनाख्त कर पाओगे? नहीं न!

फिर काहे को अपने को कायर, बुजदिल कहलवाने का इंतजाम चाहते हो। अँधेरे में अँधेर होने दो न!

माना कि चोर, गुंडे नहीं आएँगे। तब भी क्या घर में शांति रहेगी? बिजली रहेगी तो टी. वी. चलेगा, टी.वी. चलेगा तो लुभावने विज्ञापन आएँगे। विज्ञापन आएँगे तो उन्हें पाने की चाहत जागेगी। जाहिर है यह चाहत पूरी करने की जेब इजाजत नहीं देगी। घर में कलह मचेगी। अपनी गरीबी पर शर्म आएगी। इस शर्म से छुटकारा पाने के लिए आप अपने 'पॉवर' का इस्तेमाल करेंगे। बेशर्मी से दूसरों को लूटेंगे। भ्रष्टाचारी बनेंगे। भ्रष्टाचार फैलाएँगे। दूसरों का शोषण करेंगे। आप सदाचारी बने रहें। भ्रष्टाचार न पनपे। इसीलिए तो सरकार चाहती है कि आपके घर में बिजली कम-से-कम रहे।

बिजली रही तो आप यही न देखेंगे कि पार्लियामेंट नाम के इंडोर स्टेडियम में कैसे एक पवार कई यादवों को बचाने के लिए दाँव-पेंच लगा रहा था और दिल्ली के ही इंदिरा गांधी इंडोर स्टेडियम में कैसे एक यादव ने एक पवार को धोबी पछाड़ देकर ओलिंपिक में जाने का अवसर पाया। या यह कि जब तक अजहर नौशीन का था कैसे सबके छक्के छुड़ाता था और जब से बिजली नहीं, बिजलानी का हुआ,

कैसे उसके अपने छक्के छूट रहे हैं।

सरकार ठीक करती है जो मध्यम वर्ग को निरंतर बिजली नहीं देती। हमेशा बिजली रहेगी तो बिल ज्यादा आएगा। बिल ज्यादा आएगा तो जेब पर अतिरिक्त भार पड़ेगा, फिर महँगाई का रोना रोएँगे। वेतन बढ़ाने की गुहार करेंगे। बिल अदा न कर पाने पर बिजली कट गई तो अपने-आप पर शर्मिंदा होएँगे।

हाँ, जो बिजली का बिल देखकर न डरते हैं, न शर्मिंदा होते हैं, न रोते हैं, उन्हें तो बिजली बराबर मिल ही रही है।

अभी-अभी सुनने में आया था कि रेल मंत्री रामविलास पासवान की कोठी का नौ लाख का बिल बकाया है। जाहिर है बिजली आती रही निरंतर, तभी न इतना बिल आया। पासवान जी इससे न डरे, न रोए, न शर्मिंदा हुए। यही बिल किसी 'बिजली-बिजली' चिल्लाने वाले का आया होता तो 'टें' बोल गया होता कि नहीं! हाँ, कुछ कारखानेदारों की शिकायत जायज है कि बिजली हरदम रहनी चाहिए ताकि वे उसे चुरा सकें। उसके न रहने से उन्हें डीजल, पेट्रोल से जेनरेटर चलाने पड़ते हैं और डीजल, पेट्रोल जो है वह चुराया नहीं जा सकता।

हम मध्यमवर्गीय लोग इतने अज्ञानी हैं कि आज भी बिजली को उपभोक्ता सामग्री समझते हैं, जबकि बिजली ने इस बीच इतनी तरक्की कर ली है कि वह उपभोक्ता सामग्री की मद से बाहर जाकर सत्ता और राजनीति की चीज बन गई है।

कुछ साल पहले जब दिल्ली में भाजपा सरकार आई तो उसने शोर मचाया कि 'डेसू' दिल्ली सरकार के पास होना चाहिए। तभी दिल्ली वालों को नियमित बिजली देने का भरोसा दे सकते हैं। इस पर कार्रवाई शुरू हुई तो शोर मचाया कि हरियाणा पानी नहीं देता।

हुआ यह कि इस बीच हरियाणा में सत्ता परिवर्तन हुआ। उन्हीं की पार्टी की सरकार आ गई, इधर केन्द्र में तेरह दिनी सरकार भी आ गई। डेसू का हस्तांतरण भी हो गया, लेकिन इसके बाद भी दिल्ली वालों को बिजली मिली?

नहीं न! हाँ, दिल्ली सरकार की पॉवर जरूर बढ़ गई।

भाजपा जब महाराष्ट्र में विपक्षी दल की भूमिका में थी एनरॉन पर मार हल्ला मचाए रही कि समझौता गलत है। सत्ता में आते ही स्वर बदल लिया। पॉवर बढ़ा ली। बिजली तो तब भी महाराष्ट्रियों को नहीं मिली थी, आज भी नहीं पा ली!

अपने किसान प्रधानमंत्री हरदनहल्ली डोडेगौड्डा देवेगौड़ा को ही ले लीजिए। देवेगौड़ा क्या हैं? प्रधानमंत्री! जी नहीं। वे हैं 'कटआउट'। इनका 'फेस' वाला वायर आया है कांग्रेस से और 'अर्थ' वाला जनता दल से। इस कटआउट के लगे रहने तक रोशन हो रही हैं चौदह अन्य पार्टियाँ। पूरब, पश्चिम, उत्तर, दक्षिण ग्रिड से संचालित इस नए संसदीय सुपर ग्रिड में ए.सी., डी.सी. करंट इस कद्र गड्ड-मड्ड हैं कि छूने वाले को पता ही नहीं चलता इनमें से कौन-सा करंट दूर छिटकाता है और कौन सा चिपका लेता है।

देवा ओ देवा जी जानते हैं कि उनका फ्यूज किसी भी दिन उड़ सकता है। फिर से केंद्र के पॉवर स्टेशन में जाने उन्हें फिट किया जाय या नहीं। हाँ, कर्नाटक के सब-स्टेशन में उनके फिट होने के अवसर हमेशा रहेंगे, सो जब तक केन्द्र का मीटर उनके 'कटआउट ज्वाइंट' से दौड़ रहा है, देवा ओ देवा अपना कर्नाटकी सब-स्टेशन और पॉवरफुल करने में जुटे हैं। इसीलिए कर्नाटक के लिए प्रस्तावित कोंजिट्रिक्स बिजली परियोजना को आनन-फानन मंजूरी दे बैठे और टिहरी बाँध परियोजना (इससे भी बिजली ही बननी है) पर बहुगुणा के सत्याग्रह के बहाने पुनर्विचार का आश्वासन। है कोई पूछने वाला कि देवा ओ देवा, यह पारदर्शिता है या ब्लैक आउट! कोई नहीं पूछेगा। पूछने वाले की खैर जो नहीं। अव्वल तो सारे दल बताया न एक ही पॉवर स्टेशन से विद्युत तरंग पा रहे हैं, जो बाहर हैं उनके एनरॉन फ्यूज में शार्टसर्किट हुआ पड़ा है।

हाँ, कल जो बहुत सारे लोग देवा के बँगले पर 'देवदर्शन' को गए थे उनमें एक बुढ़िया ने पूछा था—देवा ओ देवा, तुम काहे को मेनका अम्मा को नाराज किया। तुम तो अम्माओं को संसद में ज्यादा-से-ज्यादा तादाद में लाने की वकालत करता था, फिर जनता दल में जो अभी दो-तीन अम्मा हैं उन्हीं में से सबसे काबिल अम्मा को बाहर कर दिया! यह कैसी किसान नीति है रे देवा!

देवा बोले—अम्मा, तुम नहीं जानती, मेनका अम्मा हमको करंट मारता था। हमने उसको बोला, हम तुम्हारा पॉवर बढ़ा देगा, तुम चुप रहो। पर वह शार्ट वायर की माफिक फिर भी स्पार्किंग करता रहा। हम सोचा—इसका स्पर्किंग यूँ ही होता रहा तो हमारे मेनस्विच में आग लग जाएगी। हमारा एक न एक जंफर जलकर गिर जाएगा। तब हम मेन कटआउट का क्या होएँगा। तब फेसवाला वायर में, अर्थवाला वायर में करंट रहने पर भी बिजली 'पासऑन' नहीं होगा। इसीलिए हमने उसका फ्यूज उड़ा दिया।

तो आपने देखा न बिजली कैसे उपभोक्ता वस्तु से सत्ता की सीढ़ी बन गई। इसलिए बिजली पाने की उम्मीद छोड़िए, अँधेरे में रहने की आदत डालिए। यदि यह संभव न हो तो अपना घर, फ्लैट छोड़कर किसी सरकारी जमीन पर कब्जा कीजिए, झुग्गी डालिए, खूब सारे बच्चे पैदा कीजिए, अपना वोट बैंक बढ़ाइए। फिर देखिए, कैसे नहीं मिलती बिजली। पूरी पॉवर हाथ में बिजली लिए आपके इर्द-गिर्द घूमेगी। आपकी झुग्गी को मुफ्त की नियमित बिजली से रोशन करके आपको खुश करेगी। बदले में बिल नहीं केवल एक वोट माँगेगी। यह भी संभव न हो तो फिर अपनी शक्ति दूसरी दिशा में बढ़ाइए। सत्ताशीनों के हमराज बन जाइए। दस्यु सुंदरी से संसद सदस्या बन जाइए। सत्ता का सुख पाइए, रात-दिन बिजली जलाइए। डीजल से चलने वाली पेसेंजर ट्रेन नहीं, बिजली से चलने वाली शताब्दी को जहाँ मन हो रुकवाइए। बिजली का बिल नौ लाख का आए या नौ अरब का, चैन की नींद ए.सी. में लीजिए और आपका बिल देखकर औरों के दिल बैठने दीजिए।

भारत का भविष्य?

सबसे पहले मैं आप से ही यह जानना चाहता हूँ कि आप किसके भारत का भविष्य जानना चाहते हैं?

सत्ता पक्ष के?

जो साल-दर-साल मौन साधे सूर्य की ओर चार कदम बढ़ाए चला जा रहा है। बिना इस बात की परवाह किए कि सूर्य का तेज उसकी तरफ द्रुतगति से बढ़ने वाले को लील भी सकता है राख में तबदील कर सकता है। भले ही उस अफलातून के पास संसार की सबसे अजूबी संसद के 'फॉर सेल' का बिल्ला लगाए सैकड़ों सांसदों का बहुमत हो। तिस पर हालत यह है कि ज्यों-ज्यों वे सूर्य की ओर बढ़ रहे हैं उनकी पीठ पीछे छूट गया देश अँधेरे का शिकार हुआ जा रहा है। लेकिन उन्हें इससे क्या, उनका अपना चेहरा तो चमका न! जिनकी पूरी पार्टी और केबिनेट की फिक्र का दायरा सिर्फ यह है कि किस तरह देश में और-और विदेशियों को लाया जा सके। जिनका मन सिर्फ यह माँगता है कि लोग भूल जाएँ कि सुखराम ने क्या किया, चन्द्रास्वामी ने क्या लिया, अर्जुन सिंह क्यों रूठे, तिवारी क्यों टूटे। जिनके कान केवल सोनिया जी के आशीर्वचन सुनने को खुले हैं। जो आँख-नाक बंद किए झूठ के सागर में गले-गले तक डूबे उस मोती को खँगालने में लगे हैं जिसे आजमाकर दूरदर्शन की रंगीनियों में रँगी भारतीय जनता को एक बार फिर सत्ता उन्हीं के हाथों में थामने के लिए राजी कर सकें। ताकि वे उसे सिर के बल, औंधे मुँह, हाथ में कटोरा लिए, नख-दंतहीन, जिस किसी दशा में संभव हो अगली सदी के दरवाजे तक पहुँचा सकें।

प्रतिपक्ष के?

जो कल तक पाँच प्रदेश और आजकल पूरे देश को हथियाने के सपने बुनने में व्यस्त है? जिससे अपने ढाई घर सँभाले नहीं सँभल रहे जहाँ से कभी वघेला का ढेला उनके पाँव उखाड़ता नजर आता है, कभी ठाकरे की ठोकर। ले-देकर बचता है आधा-अधूरा दिल्ली वाला वायदे-आजम, जिसके पास न खुर, न आना। जिसके चाहने पर दिल्ली वालों को न बिजली मिलती है, न पानी। जो पार्टी भगवान को भी भक्ति से नहीं, शक्ति से अपने पक्ष में कर लेना चाहती है।

जनता, समता, सपा, बसपा, द्रमुक, अन्ना द्रमुक, सजपा, माकपा, भाकपा, अगप की या लालू, चन्द्रशेखर, फर्नांडीस, मुलायम, कांशी, सुरजीत, अर्जुन, तिवारी, वी. पी., देवी, नंदमूरि, ज्योति या माया की काया क्या, छाया क्या! इनके सोचे से होना क्या है, इनके न सोचने में बिगड़ना क्या है। इनका किया-कराया भविष्य के नहीं भूत के गर्त में दबा पड़ा है।

सरकारी तंत्र के?

सो मंत्री हो या संत्री, हर कोई, हरदम, हर क्षण इस इंतजार में बैठा नजर आता है कि कब कौन 'मुर्गा' आएगा, अपने को हलाल करवाएगा। जहाँ हर जरूरतमंद नागरिक किसी-न-किसी तंत्र पर काबिज नौकरशाह की नजर में महज एक 'मुर्गा' है, वहाँ हाल-फिलहाल मुर्गा पकाने, मुर्गा खिलाने, मुर्गा परोसने का जिम्मा एक विदेशी कंपनी केंटुकी के हाथ में है।

अब बच जाते हैं हम और आप।

कंप्यूटर हो या आलू की चिप्स, प्रेक्षेपास्त्र हो या गंदगी पोंछने का पोतड़ा, कार हो या प्रादेशिक सरकार, जहाँ, सब कुछ आयात किया जाता हो, उस भारत का भविष्य तय करने का, उस भारत के भविष्य पर विचार करने का अधिकार, दायित्व, चिंता हमारी-आपकी रह ही कहाँ जाती है? हैं कौन हम? आप? सोचने से पहले, सोचने के दौरान, सोचने के बाद यह बताना होगा हमें-आपको कि इन तीनों स्थितियों में हमारा-आपका प्रायोजक कौन था? उसने हमें, आपको प्रायोजित करने से पहले मंत्री जी की जेब गरम की? दाऊद जी का हित-अहित ध्यान में रखा? स्वामी जी को कुंडली दिखाई? ठाकरे जी से इजाजत पाई? राव जी को मौन साधे रहने के लिए साधा? मनमोहन जी को मोहित किया? मंदिर, मस्जिद या गुरुद्वारे में मत्था टेका? विश्व बैंक से कर्जा लिया? बिल का दिल बाग-बाग किया?

क्या कहा? नहीं?

क्या बोला? आम आदमी का हाल-हवाल देखकर देश का ख्याल कर गुजरा!

खबरदार! खबरदार! यह देश खास लोगों का है, खास लोगों के लिए है। आम आदमी की यहाँ पूछ क्या? आम आदमी को पूछता कौन है? उससे किसने कहा था कि वह इस बहुराष्ट्रीय कंपनियों के उपभोक्ता सागर में कंकर बनकर पैदा हो! यह पहुँच वालों का देश है। उनका जो येन-केन-प्रकारेण भारत के धन से लेकर भारत के मन तक को विदेशों में पहुँचा सकते हैं। आम आदमी को चाहिए कि वह मजदूर बनकर अरबा देशों में चला जाए। वहाँ ऐसे कई खरब लोग खप सकते हैं।

भविष्य! भारत का!

अमाँ पहले यह तो बताइए, वे लोग हैं कहाँ अब, जो अखंड भारत को स्वप्न तक में देखते हैं। यहाँ तो सबके अपने-अपने भारत हैं। किसी के भारत का नाम बंगाल है, किसी के तमिलनाडु, किसी के आंध्रप्रदेश तो किसी के महाराष्ट्र। जो स्वप्न

भी देखते हैं वे अखंड भारत के नहीं, झारखंड, उत्तराखंड, बुंदेलखंड, खालिस्तान, रूहेलखंड, गोरखालैंड के। यहाँ तो सबको अपना-अपना खंड चाहिए, अखंड भारत की दरकार किसी को नहीं।

इन हालात में जिस गाँव नहीं जाना उसका रास्ता पूछना क्या, जानना क्या, पहचानना क्या!

बहुमत से विजयी नेता से साक्षात्कार

कुछ दिनों से ऐसा सुनने में और पढ़ने में आ रहा था 'हर पेट को रोटी, हर हाथ को काम। हर घर में उजाला देने वालों का जनसंघ है नाम।'

मैं पेट पर तसल्ली से हाथ फेरकर संतुष्ट हो जाया करता था कि ज्यों ही वोट देकर घर लौटूँगा रोटी मिल जाएगी। पर ऐसा नहीं हुआ। मैं भागा-भागा उन महाशय के पास गया जिन्होंने यह नारा हमारे इलाके में लगाया था। वह बोले, 'जनता मूर्ख है। फिर कांग्रेस को बागडोर दे दी। अब वे जैसे चाहे हाँकेंगे।'

मैं उनके पास से लौट आया। जो कांग्रेसी जीते थे उनके पास गया। उनसे पूछा, 'ऐसा नहीं हो सकता कि आप हमें चरागाह की तरफ हाँक दें?'

मेरी इच्छा जानकर वह बोले, 'अजी, हम क्यों हाँकें?'

मैंने कहा, 'जनता ने आपको अपना चरवाहा जो बनाया है।'

वह बिगड़ गए। जोर से रँभाने लगे। बड़े नाटकीय अंदाज में बोले, 'अजी किस जनता की बात करते हो? जनता तो वोट को पता नहीं क्या समझती है। मैं इनके भरोसे रहता तो जीत लिया था मैदान।'

मेरी कुछ समझ में नहीं आया। मैंने कहा, 'आप कहते क्या हैं? भला जनता ने वोट दिया तभी तो आप मैदान जीत पाए। और एक प्रजातांत्रिक शासन व्यवस्था में वोट का क्या महत्व है आप अच्छी तरह जानते हैं।'

वह बोले, 'अजी आप हमें क्या याद दिला रहे हैं, हम तो हैं गांधीवादी कांग्रेसी। जब गांधी जी ने कांग्रेस बनाई हम इसमें आ गए। तब और अब की कांग्रेस में बड़ा फर्क है, सो एक जुदा बात है। पर हमें कांग्रेस से क्या। हमें काम है गांधी नाम से। पहले हम महात्मा गांधी की कांग्रेस में थे। वे नेहरू जी को अपना उत्तराधिकारी बना गए। हम उनकी कांग्रेस में रहे। फिर इंदिरा गांधी जी ने कांग्रेस बनाई, हम उसमें गांधीवादी बने रहने के लिए चले आए। आगे जैसी कि हवा है हम राजीव गांधी की कांग्रेस में चले जाएंगे। हमने तो जी यह देखा है कि अंग्रेजी राज में वोट महँगा पड़ता था। अब सस्ता हो गया है। पहले वोट वाले इलाके में वसूली को कुछ समय के लिए टालना पड़ता था। लगान माफ करवाना पड़ता था। अब यह सब

नहीं करना पड़ता। आजादी आ जाने से बड़ी सहूलियत हो गई है।' कहकर वह भेद भरी मुस्कुराहट बिखेरने लगे। उसे बीनने की मेरी कोई इच्छा नहीं थी।

मैंने कहा, 'तो क्या आप बिना वोटों के...'

मेरी बात बीच में काटते हुए वह बोले, 'आपने वोट किसे दिया था?'

मैंने कहा, 'उनको।'

वह बोले, 'ठीक किया आपने। अगर आप हमें वोट देने लगे तो प्रजातंत्र उठ जाएगा। हम चाहते हैं और हमारी पार्टी जो इसी के लिए इतने दिन लड़ी, वह भी चाहती है देश में प्रजातंत्र कायम रहे।'

मैंने पूछा, 'आपने जो वायदे किए थे उनको पूरा करेंगे न?'

मेरी बात सुनते ही वह तमक पड़े।

'अजी आप भी कमाल करते हैं। हथेली पर सरसों उगाएँगे क्या। आप लोग पढ़ते-लिखते तो हैं नहीं। अच्छा-भला नाम है उनका।' कहकर वह नाम की खोज करने लगे। उन्हें नाम याद नहीं आया देर तक। तब वह मेरी तरफ देखकर मुस्कुराते हुए बोले, 'भला-सा नाम है। देखा न, आजकल तो बस साथियों के नाम याद रहते हैं। अब चिंता तो मन में है आजमगढ़ की। वहाँ जाने क्या हुआ। ये चुनाव भी बस। मैं कहता हूँ जब जनता और विपक्ष दोनों को अपनी-अपनी जगह मालूम है फिर ये देश का काम इतने दिन के लिए क्यों चौपट करवा देते हैं। फिर हल्ला करते हैं देश रसातल को जा रहा है, कुछ तो रहम करो। अरे, अच्छा याद आया। रहीम था न उनका नाम। तो उन्होंने कहा है न।

धीरे धीरे रे मना, धीरे सब कुछ होए।
माली सींचे सो घड़ा, रितु आए फल होए।

हमने आपसे वायदे किए वे पूरे करें या जो आगे पार्टी वालों से किए वे पूरे करें। मैं तो उनका प्रतिनिधि हूँ और उन्हीं के वायदे पूरे कर लेने पर कुछ और करने की सोचूँगा।'

मैंने कहा, 'जरा बताएँगे उनसे क्या वायदे किए हैं।'

वह बोले, 'मुझे सात एम. एल. ए. देने हैं। जानते हो न एम. एल. ए.?'

मैंने कहा, 'जी हाँ। स्कूल के बच्चे इनका पूरा नाम भी जानते हैं। माइंड लैस एनीमल।'

सुनकर वह हँस दिए। मेरे कंधे पर हाथ रखा और झकझोरने लगे। फिर बोले, 'तुम तो बहुत काम की चीज हो। पर हमारे यहाँ एम. एल. ए. का मतलब होता है मिनिस्टर्स लोकल अटैंडैंट। कुछ भी हो अर्थ तुमने ही अच्छा लगाया। तुम एक काम हमारा और कर दो।'

मैंने पूछा, 'क्या?'

वह बोले, 'अगले चुनाव के लिए कोई अच्छा-सा मोटो तैयार करना है।'

मैंने कहा, 'अभी से?'

वह बोले, 'इसमें देर नहीं करनी चाहिए। मेंबर बनते ही दो काम जरूरी हैं। पहला विरोधी के मोटो का जवाब तैयार करना और दूसरा अपना मोटो तैयार करना।'

मैंने उन्हें आश्वासन दिया कि मैं जल्दी ही तैयार कर दूँगा।

उनसे मिलने वाले आने लगे थे। वह बार-बार बाहर झाँकने लगे। कमरे पर भी अच्छी तरह नजर भर देखा। एक रूमाल दिखाई दिया जो पारदर्शी कपड़े का था। उसे उठाकर गद्दे के नीचे रख दिया। सब कुछ खादीमय देखकर संतुष्ट हो आए।

मैंने कहा, 'अब मुझे जाने की इजाजत दें। कोशिश करूँगा कि अब आपका समय नष्ट करने का अवसर न आए। एक छोटी-सी उत्सुकता थी, कृपया उसे शांत कर दें।'

उन्होंने अभय मुद्रा मेरे चेहरे पर टिका दी।

मैंने शरमाते हुए पूछा, 'आपने विरोधी पक्ष के मोटो का जवाब क्या ढूँढा है?'

'हर हाथ में लाठी, हर पीठ पर वार।

जनसंघ जो आ जाए, सत्ता में एक बार।'

पदावली सुनाकर वह ठटाकर हँस पड़े और मैं मौका पाकर बाहर खिसक आया।

यदि मैं मंत्री बना...

(अभी हाल में एक साहित्यिक सभा ने निबंध प्रतियोगिता आयोजित की, उसमें मेरा विषय था 'यदि मैं शिक्षा मंत्री बना...!' इसपर मैंने यह निबंध पढ़ा, आप भी पढ़िए)

आदरणीय अध्यक्ष महोदय, उपस्थित श्रोता एवं निर्णायक गण,

मैं कुछ कहूँ इससे पहले आप यह विश्वास कर लें कि मैं जो कह रहा हूँ, पूरे होशो-हवाश में कह रहा हूँ। आप चाहें तो गीता की कसम तक उठा सकता हूँ। न, न, आप यह न सोचें कि मैं इसे कोर्ट मानकर बयान देने की तैयारी कर रहा हूँ, पर यहाँ भी चूँकि निर्णायक मौजूद हैं इसीलिए कोर्ट का-सा आभास मुझे हुआ।

स्पष्टीकरण बहुत हो गया। अब मैं मूल विषय पर आ लूँ।

फिर चूक हो गई।

देखिए न, परिचय तक तो हुआ नहीं और मैं इतनी बड़ी बात कहने चल निकला। ऐसे में आप मेरी बात भला मानेंगे क्योंकर? मेरा विषय है 'यदि मैं शिक्षा मंत्री बना...!'

सबसे पहले मैं आपको यह बता दूँ कि मेरे लिए मंत्री तक बनने का अवसर नहीं है, फिर कौन-सा पोर्टफोलियो मुझे मिलेगा यह तो बहुत आगे की बात है। गर वतर्ज भारत के तृतीय प्रधानमंत्री, कोई उन दिनों प्रधानमंत्री हुआ तो संभव है खुद कई पोर्टफोलियो अपने पास रख छोड़े, बावजूद इसके कि दो-दो मंत्री केबिनेट में विदाउट पोर्टफोलियो मौजूद हों। या फिर वतर्ज भारत के चतुर्थ प्रधानमंत्री, कोई हुआ तो संभव है बनने के अगले दिन यह समाचार आपको सुनने को मिले कि मेरा पोर्टफोलियो बदल दिया गया है। ऐसी दोनों स्थितियों की तो नहीं कहता कि मैं जो आगे बयान करने जा रहा हूँ वह सब कर पाऊँगा या नहीं, बहरहाल, स्थिति इनसे इतर हुई तो मैं ये करूँगा।

आप शायद जब से मैं मंच पर आ खड़ा हुआ हूँ एक बात कई बार सोच चुके होंगे कि मैं बदरंग, विदाउट एनी स्टेटस और मेरे कुछ शुभचिंतक ऐसा भी सोचते होंगे कि मुझसा प्रतिभा संपन्न व्यक्तित्व क्योंकर राजनीति में आना चाहेगा या आ पाएगा? क्षमा कीजिएगा, मेरा आशय यह कतई नहीं कि मंत्रिमंडल में प्रतिभा संपन्न

व्यक्तित्व नहीं होते। होते हैं, फिर भी मैं जो यह कह गया इसके पीछे विश्वास कीजिएगा 'जनमत' है।

बहुत मोटी-सी बात कहूँ। सरकारी विभाग में चतुर्थ श्रेणी कर्मचारी होने के लिए योग्यता अनिवार्य है मिडिल पास होना। तृतीय श्रेणी के लिए हायर सेकेंडरी, द्वितीय और प्रथम श्रेणी के लिए और बड़ी उपाधियाँ, अनुभव, प्रतियोगिताएँ वगैरह, वगैरह। हाँ, आयु सीमा भी। किसी भी प्रौढ़ व्यक्ति को प्रथम श्रेणी कर्मचारी या राजपत्रित अधिकारी शायद इसीलिए नहीं बनाया जाता क्योंकि उसकी कार्यक्षमता में संदेह बना रहता है। पर क्या आपने कभी सुना कि मंत्री बनने के लिए आयु, अनुभव, उपाधियाँ, भले ही वह प्राथमिक से भी नीचे, 'साक्षर हैं' का प्रमाण देने वाली उपाधि क्यों न हो, अनिवार्य है? नहीं है न?

मैं यहाँ एक बात गलत कह गया। 'अनुभव'। हाँ, अनुभव होना चाहिए। पर जरूरी नहीं कि किसी पारंपरिक व्यवसाय का अनुभव हो या शिक्षा, नौकरी आदि का हो। चार हड़तालें तुड़वाने, देशव्यापी एक-दो हड़तालें करवाने या फिर दो-तीन अंतर्देशीय श्रमिक संगठनों का मानद मंत्री होने भर से मंत्रिमंडल में ही नहीं, देश के सर्वोच्च पद तक पर आसीन हुआ जा सकता है।

इस सबके बावजूद गर हालात ने मुझे मजबूर किया या मेरे मित्रों ने आग्रह किया, जैसा कि हमारे देश के एक बीस दिनिया प्रधानमंत्री से उनके मित्रों ने किया था, तो मैं मंत्री बनना स्वीकार करूँगा और तब मैं शिक्षा मंत्री बनना चाहूँगा। और विभागों के मंत्री चाहे कुछ भी कर गुजरें सब अस्थायी होता है, पर शिक्षा मंत्री का नाम इतिहास में इधर-उधर आ जुड़ता है। साथ ही जाहिलों की बजाय प्रबुद्ध वर्ग का मंत्री बनने से अपने आपको प्रबुद्ध समझ लेना स्वाभाविक है।

शिक्षा मंत्री बनने के बाद मेरा प्रयास होगा कि जिस तरह मंत्री बनने के लिए कोई शैक्षणिक अनुभव अनिवार्य नहीं, उसी तरह शिक्षा के क्षेत्र में क्रांतिकारी परिवर्तन ला सकूँ। मैंने देखा है कि अर्थशास्त्र के स्नातकोत्तर को हम केवल राजनीतिशास्त्र का अध्यापक नियुक्त कर पा रहे हैं। यह सरासर उसकी प्रतिभा पर संदेह करना है। मेरा प्रयास होगा कि मैं अर्थशास्त्र के स्नातकोत्तर को फलित ज्योतिष अर्थात् हस्तरेखा विशेषज्ञ का पद भी दिला दूँ, क्योंकि दोनों विषयों में मात्र रेखाओं का महत्व है।

मैंने देखा है कि लिपिक के पद से उन्नति करते-करते व्यक्ति अपनी उम्र के पक जाने तक परीक्षाधिकारी बन शैक्षणिक कार्य-प्रणाली को नियंत्रित करता है, अपने पूर्व अनुभव के आधार पर। मेरा विश्वास है कि यदि यही अनुभव का मापदंड माना जाए तो विश्वविद्यालय का डिस्पैच क्लर्क, जिसके पास से होकर पूरा पत्राचार गुजरता है, वह कहीं अधिक अनुभवी व्यक्ति होना चाहिए। इसलिए मैं उसे परीक्षाधिकारी बनाने का प्रयास करूँगा।

मैंने देखा है और महसूस किया है कि संस्कृत विश्वविद्यालयों में कुछ व्यक्ति अब भी ऐसे हैं जो थोड़ी-बहुत हिंदी भी जानते हैं। मेरा प्रयास होगा कि जिस प्रकार कीचड़ में रहकर भी कमल कीचड़ में लिप्त नहीं होता, उसी प्रकार संस्कृत विश्वविद्यालय होने के बावजूद ऐसा कोई व्यक्ति वहाँ नियुक्ति न पा सके जो थोड़ी-बहुत हिंदी भी जानता हो। मुझे प्रशंसा करनी चाहिए पिछली सरकारों की कि उन्होंने इस दिशा में इतनी सतर्कता तो रखी कि संस्कृत जानने वाला कोई न हो पर वे भूल गए कि हिंदी भी उसी की बेटी है। मैं भाई-भतीजावाद का सर्वर्था विरोधी हूँ। इस प्रकार की व्यवस्था कर मैं पूर्वजों द्वारा प्रतिपादित मुहावरा 'यथा कीचड़ में कमल' को तो सत्य सिद्ध करूँगा ही उनके प्रति यह मेरी सच्ची श्रद्धांजलि भी मानी जाएगी।

मैंने देखा है कि हमारी सरकार उच्च अध्ययन के लिए प्रतिभा संपन्न छात्रों को दूसरे देशों में भेजती है और वे वहीं अटक जाते हैं। जबकि दूसरी सरकारें ऐसी आदान-प्रदान योजनाओं में हमें जिंदगी से ऊबे व्यक्ति थमा देती हैं, जो बजाय विश्वविद्यालयों के, पर्यटन स्थलों या मदिरालयों में बैठे मिलते हैं। मैं इस प्रकार की व्यवस्था करूँगा कि इस तरह के आदान-प्रदान में 'रा' तथा अन्यान्य गुप्तचर संगठनों के व्यक्ति भेजूँ। इससे एक ओर तो हम जैसे को तैसा वाली कहावत सिद्ध कर पाएँगे, दूसरी ओर जैसाकि पिछली सरकार को इन गुप्तचर संगठनों के व्यक्तियों को आपातकाल के दिनों में उच्च शिक्षा के लिए अपने ही विश्वविद्यालयों में भर्ती करना पड़ा, जहाँ पहले ही उच्च शिक्षा का सर्वथा अभाव है, और जिससे कुछ विद्यार्थियों को प्रवेश पाने से भी वंचित होना पड़ा, इस तरह की समस्या से बच पाएँगे।

मैंने देखा है कि हमारे यहाँ चिकित्सा की शिक्षा के लिए बेहिसाब रुपया खर्च किया जा रहा है। अपने मंत्रित्वकाल में मैं यह आदेश जारी करूँगा—इन सब शिक्षा संस्थाओं को बंद कर विद्यार्थियों को अपने शरीर और भारतीय जंगलात से बीमारियों के लिए औषधियाँ खोजने को प्रोत्साहित किया जाए। इससे लाभ यह होगा कि हम जो मलमूत्र और जंगली पशुओं के उपयोग की चीज मानकर बहुत-सी प्राकृतिक धरोहरों को उपेक्षित करते आए हैं, उनका उपयोग हो सकेगा, दूसरी ओर यही राशि मेरे किसी केबिनेटी भाई के नातेदार को उद्योग लगाने के लिए ऋण के रूप में देने, किसी विदेशी को अतिथि बनाकर बुलाने, अतिथि बनकर विदेश जाने, एक और राकेट छोड़ने या फिर एक और जाँच आयोग बिठाने के काम आ सकेगी। मैं जानता हूँ कि मेरी यह कार्यवाही विश्व बंधुत्व और अहिंसावादी प्रवृत्ति के सर्वथा अनुकूल मानी जाएगी।

मरी अंतिम अभिलाषा यह है कि मैं सर्वभाषा समभाव को ध्यान में रखते हुए अपने पंचवर्षीय मंत्रित्व काल में एक आयोग बिठाकर इस प्रकार की भाषा ईजाद कराऊँगा जिसमें सभी भारतीय भाषाओं के शब्दों का योग होगा। मुझे विश्वास है कि मेरा यह कार्य आजादी के साथ बने अंग्रेजी से हिंदी शब्दानुवाद करने वाले निदेशालय के द्रोपदी के चीर की तरह बढ़ते जा रहे वर्षों-सा नहीं बढ़ेगा।

यह सब तो हुआ तब के लिए जब प्रभु कृपा से, जैसा कि हमारे देश के शिवांबु सेवी प्रधानमंत्री को अवसर मिला था, उसी तरह से मुझे भी प्रभु कृपा से देश सेवा का अवसर मिलेगा।

अब मैं कुछ बातें तब के लिए भी कर लूँ जबकि मेरे मंत्री बनने की भनक लगते ही तत्कालीन सरकार मुझे कारागार में डाल देगी।

मैंने सुना है कि हमारे देश में ऐसा अवसर आने पर एक संघ के सत्तर हजार कार्यकर्ताओं ने देशव्यापी भूमिगत आंदोलन किया था, पर वे सफल नहीं हुए और अंत में स्वेच्छा से उस सरकार ने, जिसका ये सब तख्ता उलटना चाहते थे, खुद अपना तख्ता उल्टा कर लिया।

मैंने खोज की, तब पता चला कि वे विफल क्यों हुए। दरअसल उनके जो कार्यकर्ता थे उनमें अस्सी प्रतिशत प्राइवेट नौकरी वाले थे। उधर कंपनी में ओवर-टाइम लगाते रहे, तख्ता उलटने का समय कम मिला। पर मेरा प्रयास ऐसा नहीं होगा। मैं तजुर्बेकार आदमी हूँ, हालाँकि मेरा तजुर्बा भी नाकाम रहा था पर उसकी वजह दूसरी थी।

मैंने भी भूमिगत आंदोलन की योजना बनाई थी। देश के सत्तर-अस्सी हजार बेरोजगार अभियंताओं को इसके लिए व्यक्तिगत संपर्क करके तैयार भी किया था। चूँकि मेरा विश्वास था कि भूमि के भीतर की इन्हें पूरी-पूरी जानकारी है। वे तैयार भी हो गए। उनको अपनी प्रैक्टिस बनाए रखने का अवसर जो मिल रहा था।

पर उस बार मैं चूक गया।

चूक यों हुई कि मैं इसे देश-सेवा मानकर चल रहा था, यही मैंने उनसे कहा भी था। पर वे सब बेरोजगार थे, पहले देह-सेवा चाहते थे, जबकि मैं सिर्फ देश सेवा चाहता था। उन्हें किसी प्रकार का कोई भत्ता मैं नहीं दे सकता था चूँकि मुझे कहीं से कोई अनुदान या थैली नहीं मिलती थी। मैं कहाँ से देता!

बस इस देह और देश के पचड़े में सारी योजना गड़बड़ा गई। मैंने उन्हें बहुत समझाया कि पहले देश है बाद में देह। हिंदी शब्दकोश में भी 'दे' के साथ पहले 'श' का प्रयोग मिलता है बाद को 'ह' का। पर वे बोले कि हम हिंदी में पढ़े ही नहीं और न हमें हिंदी वर्णमाला का अच्छी तरह ज्ञान है। हम तो अंग्रेजी जानते हैं और अंग्रेजी शब्दकोश में पहले 'बॉडी' है और बाद में 'कंट्री'।

सो, इस बार मैं पहले से देह-सेवा का इंतजाम करके चलूँगा।

तो मैं अब चुप्पी साधूँ, इससे पहले मेरा यही कहना है कि मेरे बजाय यदि सहवक्ताओं और पढ़ने के बाद पाठकों में से, यदि कोई बंधु मंत्री बने तो वह मेरी भावनाओं का पूरा-पूरा ध्यान तब रखे जबकि अक्सर लोग पिछला सब कुल भूल-भुला जाते हैं।

विभीषण की राज्यलिप्सा

उसी दिन रावण कैलाशवासी को उठाकर लंका में लाया था। कैलाशवासी ने कुछ ही समय पहले रावण की सेवा से प्रसन्न होकर उसे कुछ जड़ी-बूटियाँ कैलाश पर्वत से बटोरने की आज्ञा दी थी। रावण ने उन जड़ी-बूटियों के प्रभाव से अपने को अजर-अमर समझ लिया। इसमें भी मूल कारण कैलाशवासी का यह असत्य कथन था कि 'जो इन जड़ी-बूटियों का सेवन करेगा वह अजर-अमर हो जाएगा।' बस, फिर क्या था, रावण ने ऐसे आराध्य को अपने घर में रख लेना उचित समझा। बहुत विस्तृत राज्य था उसका। देखने वाला कोई नहीं था। मँझला भाई हमेशा सुरा, स्वर और सुंदरी का आनंद उठाता। डेढ़ ऋतु उसकी यही दिनचर्या रहती और बाकी डेढ़ ऋतु शयनागार में बीतती। निद्रामग्न होने के बाद वह कुंभकर्ण नाम की सार्थकता को भी मटियामेट कर देता था। छोटा भाई राज्य हथियाने के चक्कर में रहता। सूर्पनखा बहन को उसने अपने साथ मिलाया हुआ था।

रावण कैलाशवासी को मय कैलाश के लंका ले आया। लंका में आते ही उसने जहाँ कैलाश को लाकर रखा वहाँ विशाल सभा का आयोजन किया गया। तब रावण के राज्य में चारण भाट नहीं थे। उसने स्वयं एक वीर रस का पद्य गाया :

'देखो रे लोगो, मेरे ये बल को, कैलाश पर्वत उठा लाया हूँ।'

दरबारी और उपस्थित राक्षस-समुदाय ने वाह-वाही की। जब रावण अंतःपुर में लौटा तो देखा सबके मुँह लटके हुए हैं। साँझ हो गई थी पर किसी ने दीया जलाने का काम तक न किया था। जब से राजपरिवार में सबको पता लगा कि रावण अजर-अमर हो गया है सभी अपने-अपने राज्याभिषेक का अवसर न आता जानकर दुखी हुए। विभीषण ने जो यह मातमी हाल देखा तो एक करुण रस का पद्य बोल दिया :

'इक लख पूत, सवा लख नाती, वा रावण के दीया न बाती'

विभीषण के मुखारबिंद से यह पद्य सुनते ही रावण को अपनी पुत्री जिसे उसने पैदा होते ही मिट्टी में दबा दिया था और जिसका पता केवल रावण को था, उसकी याद आई और वह अपनी पुत्री की कुशलक्षेम जानने जनकपुरी जा पहुँचा।

रावण ने देखा वहाँ उसकी पुत्री का पाणिग्रहण संस्कार हो रहा है। उसने आशीर्वाद दिया और शिवधनुष भंजक दशरथनंदन को सपत्नीक अपने राज्य में मधुचंद्रिका मनाने का निमंत्रण भी।

जब रावण वापस लंका जा रहा था तो रास्ते में उसका पुष्पक विमान खराब हो गया। उसे ठीक करने के लिए उसने विमान को जमीन पर उतारा और संयोग से वह बाली के राज्य में जा उतरा। बाली ने उसे शत्रु देश का गुप्तचर समझकर अपनी काँख में दबा लिया। उन दिनों आधुनिकतम कारावास नहीं बने थे। राजा अपनी काँख, मुट्ठी, तलुवे या लंगोट में कैदियों को बंद कर लिया करते थे। काफी समय तक रावण के लौटकर न आने और कुंभकर्ण के निद्रामग्न हुए रहने का लाभ उठाकर विभीषण ने राजसत्ता अपने हाथ में ले ली।

इधर अयोध्या से अपने माता-पिता की आज्ञा ले रामचंद्र जी और सीता जी रावण के निमंत्रण पर लंका पहुँचने के लिए चल पड़े। लक्ष्मण उनके साथ लग गए। अयोध्या विकसित राज्य नहीं था। इसलिए उनके पास विमान वगैरह नहीं थे। वे पैदल ही चले। लंका के पास पहुँचने पर देखा, समुद्र में तूफान आया हुआ है। उनके पास नाव तक न थी। कुछ समय इसी किनारे व्यतीत करने का विचार किया गया।

विभीषण के राजा बनते ही उसकी मुँहलगी बहन सूर्पनखा उच्छृंखल हो गई। उसके हाथ पीले न हुए थे। रावण तो कैलाशपति को रिझाने में व्यस्त था। विभीषण की चलती नहीं थी और कुंभकर्ण! उसे सोने से फुरसत कहाँ! अब विभीषण को उसने अपनी निजी और गोपनीय समस्याएँ बताईं। विभीषण ने सूर्पनखा को कह दिया कि जैसा दूसरे देशों में होता है, तू भी स्वयं अपना वर चुन ला। मैं तेरी शादी उसके साथ कर दूँगा।

सूर्पनखा अच्छी तरह सज-धज कर इधर-उधर घूमने लगी। चारों तरफ राक्षस ही राक्षस दिखाई दिए। तब एक दिन अपने पुष्पक विमान पर बैठकर वह समुद्र के इस तरफ आई। उसकी निगाह पंचवटी पर पड़ी। वहाँ एकांत में बैठे लक्ष्मण पर रिझा गई और चट उनके आगे विवाह का प्रस्ताव रख दिया। बिना स्वयंवर के किसी का वरण करना लक्ष्मण को गवारा नहीं था। सूर्पनखा अपनी हथेली ठोड़ी पर रखे काफी देर तक उनके सामने खड़ी रही। लक्ष्मण ने उसकी अनामिका उँगली के नख का निशाना बनाकर तीर चलाया। सूर्पनखा को अपने नाखूनों से बड़ा प्रेम था, उसने हथेली मुँह पर से हटा ली। तीर उसकी नाक से जा टकराया। परिणामस्वरूप उसकी नाक कट गई। वह दौड़ी-दौड़ी लंका गई।

संयोग से उसी समय रावण भी बाली को जिस-तिस करके राजी कर छूट आया था। उसने तख्त-ताऊश पर जमे विभीषण को हटाकर राज्य की बागडोर अपने हाथ में ले ली थी। सूर्पनखा ने जो अपना हाल सुनाया तो रावण को याद आया कि जरूर वे मेरे लड़की-दामाद होंगे। वह लंका के इस पार आया। उस समय राम-लक्ष्मण

वहाँ नहीं थे। रावण सीता को अपने साथ ले लंका चला गया। राम-लक्ष्मण के लिए एक मैसेज पंचवटी में छोड़ गया, जो आज भी एक कबूतर के पास सुरक्षित है।

सीता का पुष्पक विमान में बैठने का पहला अवसर था। वे सँभलकर बैठ नहीं सकीं और हिलते-डुलते रहने से उनके गहने जमीन पर गिरते गए।

जब सीता जी को लेकर रावण लंका में पहुँचा तो सूर्पनखा ने समझा कि उसके भाई ने बदले की भावना से ऐसा किया है। वह बहुत खुश हुई और उसने रावण को नमक-मिर्च मिलाकर अपनी नाक की कथा फिर से सुनाई और सीता-हरण पर बधाई दी।

रावण ने जो सारा हाल ध्यान से सुना तो उसे बहुत दुःख हुआ। उसने विभीषण को डाँटा-फटकारा कि तुमने बहन को आवारा बना दिया। विभीषण भी सीता के आने को हरण की संज्ञा दे बैठा। इसी बात पर रावण को क्रोध आ गया और उसने लात मारकर विभीषण को लंका से निकाल दिया।

इधर जब राम-लक्ष्मण लौटे तो उन्हें सीता न मिली। वे उसे ढूँढ़ने निकले। कबूतर उस समय अपने बच्चों के लिए दाना चुगने गया हुआ था।

रास्ते में राम-लक्ष्मण को हनुमान नाम का वानर मिला जो बाद में इनका परम भक्त बन गया। हनुमान ने इन्हें अपने और साथियों से मिलाया। जंगल में सीता के गहने भी मिल गए। सब ने यही समझा कि सीता को कोई उठा ले गया। राम, लक्ष्मण दुखी थे और वानर भी दुखी थे। उन्हें दुःख था अपने नेता सुग्रीव के दुःख का। राम ने उनका दुःख बाली का बध करके दूर किया। तब वे भी इनका दुःख दूर करने की योजना बनाने लगे। इन बंदरों के पास भी विमान नहीं थे। ये सब आदमियों की तरह बोलते-बतियाते थे। आदमी की तरह चलते-फिरते थे। अलबत्ता इनमें से कुछ बंदर आकाश में उड़ भी सकते थे। संयोग से जटायु नाम के एक गिद्ध ने जो आदमी की भाषा में बोलता था, बताया कि कोई सीता माता को उड़ाकर समुद्र पार ले गया है। हनुमान ने उड़कर समुद्र लाँघा और लंका में जाकर सीता माता की खोज करने लगा।

रावण को सूर्पनखा के लिए उत्तम वर की तलाश थी। वह कैलाश पर मय मंदोदरी के तपस्या करने चला गया था। जाने से पहले सीता जी के रहने की व्यवस्था अशोक वाटिका में कर गया था। हनुमान जी वहीं जा पहुँचे। वहाँ उन्हें सब स्त्रियों से भिन्न एक स्त्री दिखाई दी। पहले उन्होंने तीन-चार दिन की भूख मिटाई। बहुत से फल अधखाए इधर-उधर फेंक दिए। लंका का पानी खारा होने से उन्हें ज्यादातर फल बे-स्वाद लगे थे। फिर सीता जी को रामचन्द्र जी की मुद्रिका दी। सीता जी मुद्रिका देखकर प्रसन्न हो गईं।

वे कोई सुखद समाचार दें कि इससे पहले ही रावण के बड़े पुत्र मेघनाद ने हनुमान को वहाँ उछल-कूद करते देख लिया और आकर धर पकड़ा। हनुमान ने

तब भी जोर-जोर से कुलाचें भरने की कोशिश की, तिस पर मेघनाद ने उनकी पूँछ में आग लगा दी। हनुमान वहाँ से भागे। उन्होंने लंका की सीमा पर ही आकर दम लिया। चारों तरफ जंगल-ही-जंगल था। समुद्र के किनारे पहुँचकर पूँछ में लगी आग बुझाई। जली पूँछ देखकर उन्हें अपने आप पर बहुत शर्मिंदगी आई।

तभी उनकी निगाह लंका की सीमा-रेखा के बाहर तूफान के थमने की इंतजार में बैठे विभीषण पर पड़ गई। दोनों रावण पर कुपित थे। हनुमान उन्हें अपने साथ राम जी के पास ले आए। आकर उन्होंने रावण के बारे में (पूँछ जल जाने के कोप में) दो-चार उल्टी-सीधी जड़ दीं। विभीषण ने जले पर नमक छिड़कने का पार्ट अदा किया।

युद्ध की तैयारियाँ होने लगीं। जब तैयारियाँ पूरी हो चुकीं तो अंगद को दूत बनाकर भेजा गया। रावण तब तक तपस्या करके लौट आया था। उसने अंगद का अच्छी तरह सत्कार किया। उसके पिता के बल की भूरि-भूरि प्रशंसा की। अंगद अपने पिता बाली से चिढ़ते थे। उन्होंने अपनी धाक जमाने के लिए अपना पाँव जमीन पर टेककर उसे हिलाने की प्रतियोगिता आयोजित करने को कहा जिसे रावण द्वारा पूरा किया गया। संयोग से कोई भी प्रतियोगी सफल न हुआ। अंगद फूले न समाए। हँसी-खुशी वापस पंचवटी आ गए।

आते ही लगे अपनी शेखी बघारने। मतलब की कोई बात उन्होंने वहाँ की ही नहीं थी। जब उनसे मुख्य मुद्दों पर चर्चा की गई तो वे अंट-संट जवाब दे गए। विभीषण ने अवसर का लाभ उठाया और राम-लक्ष्मण को खूब उकसाया।

रामचन्द्र जी ने वानर सेना साथ लेकर समुद्र पर पुल बनाया और लंका पर आक्रमण कर दिया। आगे जो हुआ आपको मालूम ही है। लंका दहन, रावण वध। सब हो चुकने पर विभीषण को फिर से लंका बसाने का भार सौंपकर राम, लक्ष्मण, सिया मय हनुमान के मुँह अँधेरे अयोध्या जी लौट आए।

रावण की राख

हम अभी रामलीला मैदान से लौटकर आए हैं। जाते समय करीब डेढ़ मील का रास्ता पैदल तय करना पड़ा। जानते हैं क्यों? जी हाँ, त्योहार के दिन लोग पूरी श्रद्धा के साथ लीला स्थल पर पहुँच सकें इसलिए बसों का आना-जाना वहाँ बंद है। यों भारत धर्मनिरपेक्ष देश है, इसलिए उजागर में कहा जाता है दर्शकों की भीड़-भाड़ के कारण उन रास्तों पर से यातायात हटाया जाता है। पर मैंने देखा है उन्हीं रास्तों पर बिना सवारियों को लिए चलने वाली बसें बे-धड़क आ-जा रही थीं।

खैर, हमें कोई शिकायत नहीं। हमारे साथ चल रहे बंधु ने बताया कि बादशाह अकबर तक धार्मिक स्थल पर रेतीले पर्वतों को पैदल पार करता हुआ पहुँचा था।

मुझे अचानक अपने पिछले स्वास्थ्य मंत्री का ध्यान आ गया। वे मंत्री बनने के बाद अपने चुनाव क्षेत्र में पैदल और कहीं-कहीं साइकिल पर गए थे।

आगे-आगे मोटरसाइकिलों पर ट्रैफिक पुलिस, पीछे मंत्री महोदय पैदल या साइकिल पर, उनके पीछे-पीछे एक नहीं तीन-तीन खाली कारें। कहीं मंत्री जी थक गए तो न जाने किसमें बैठें। एक कार में साइकिल की मरम्मत का सामान। उनके पीछे पुलिस की जीप। राज्य के आई. जी. साहब सीट पर खड़े हुए। हाथों में एक तसला लिए। तसला पानी से भरा हुआ। गर साइकिल पंचर हो जाए तो पंचर ढूँढा जा सके। कई लोग उस जुलूस को देखकर घरों में छुप गए। उन्हें लगा शनीचर देवता के नाम पर पंजी, दस्सी माँगने वाले चले आ रहे हैं। कुछ ऐसा ही कारवाँ अकबर बादशाह की पद-यात्रा का पुरानी श्याम-श्वेत फिल्मों में देखा था।

जब हम रामलीला मैदान पहुँचे, रावण जी को अग्नि दी जा चुकी थी। उनकी आग ज्यादा न फैले इसलिए अग्नि शमन जत्था आ चुका था। एक तरफ से आग का भभका उठ रहा था, दूसरी तरफ से पानी की ठंडी फुहार। बिल्कुल लोकतांत्रिक समाज के संसदीय अधिवेशन का नजारा था। बाकी हिस्से में धूल उड़ रही थी। लोगों का इतना जमघट कि दूर तक नर-मुंड दिखाई दे रहे थे। लगता था सभी मातम-पुरशी के लिए श्मशान में चले आए हैं।

बड़ी धकम-पेल के बाद हम रावण के पास पहुँचे। उनकी हड्डियाँ बुझने का

नाम नहीं ले रही थीं। लोग उन्हें चारों तरफ से घेरे खड़े थे। सभी राख बटोरने को उतावले थे। पर ठंडी होने का इंतजार कर रहे थे। हमारा देश गर्म है फिर भी हमारी प्रकृति ठंडी है। यहाँ तो चाय तक प्लेट में ढालकर पी जाती है, फिर भला रावण जैसे की राख गर्म कैसे छू सकते थे।

रावण को पापी मानने वाले लोग जो उसे मारने वाले रामचन्द्र जी का उपकार अब तब नहीं भूल पाए, वे ही उसकी राख को घर में रखना शुभ समझते हैं। मैं सरकार का ध्यान इस बात की ओर दिलाना चाहता हूँ कि जब लाल किताब रखने से लोगों का कम्युनिस्ट हो जाना असंभव नहीं समझा जाता, इसलिए उन्हें मौके-बे-मौके पकड़ लिया जाता है, तब इन लोगों को, जो एक उठाईगीरे की राख घर में रखते हैं, उन्हें भी क्यों नहीं अंदर कर देती।

ये वही लोग हैं जो बुझी राख घर ले जाते हैं और फिर उसे गलियों, कूचों में बिखेर देते हैं; जिससे गलत संस्कार जन्म लेते हैं और फिर अखबारों में पढ़ने को मिलता है–'अमुक ने, अमुक की, अमुक को, अमुक जगह, अमुक हालत में ले जाकर छोड़ दिया।'

मैंने सुना है कि सरकार इस राख पर दूसरे पहलू से विचार कर रही है। सरकार का इरादा इस राख का राष्ट्रीयकरण कर देने का है; जिससे यह जन-सामान्य तक पहुँच सके। इसका सदुपयोग अश्रु गैस आदि बनाने में किया जा सके। कितना अच्छा रहेगा जब आपको सवेरे रेडियो खोलते ही सुनने को मिलेगा–

'देश की प्रजातांत्रिक सरकार की एक और परिलब्धि। युगों से नष्ट हो रही रावण की राख का राष्ट्रीयकरण कर दिया गया है। अब इस राख को एकत्र करने और इससे तरह-तरह की वस्तुएँ तैयार करने से सैकड़ों देशवासियों को रोजगार मिला है। इस राख की सभी आय राष्ट्रीय रक्षा कोष में दी जा रही है, जिससे हम दुश्मन का जमकर मुकाबला कर सकें। सरकार ने इतिहासकारों को यह आदेश दे दिया है कि वे किसी एक और रावण की तलाश करें, यदि संभव हो तो दो और अधिकतम ग्यारह रावण भी खोज सकते हैं, जिससे प्रत्येक माह एक रावण की राख एकत्र की जा सके। इससे राख में विविधता और ताजगी बनी रहेगी। साथ ही यह राष्ट्रीय उद्योग अधिकाधिक विकसित हो सकेगा।'

पर इसमें एक खतरा है। सरकार की यह योजना पूरी होते ही विपक्षी सिर उठाएँगे। वे कहेंगे कि 'जब देश में आए दिन इतने लोग मर और मारे जा रहे हैं तब उनकी राख छोड़कर यह सरकार एक विदेशी और वह भी साम्राज्यवादी, अधिनायकवादी शासक की राख देशवासियों में बाँट-बाँटकर आर्यावर्तियों का चरित्र हनन क्यों कर रही है? इस पर लंका कापीराइट का मामला संयुक्त राष्ट्र संघ में उठा सकता है, जिससे इसकी अधिकाधिक आय रॉयल्टी में ही चली जाएगी। यदि सरकार के पास देशी राख की इतनी ही कमी है और वह अपने स्रोतों से राख एकत्र

नहीं कर सकती तो यह काम विपक्ष के सहयोग से पूरा करे। हम सरकार को सहयोग प्रदान करेंगे। दो-चार बड़े-बड़े जुलूस निकालेंगे। उनमें कुछ आग हम अपनी तरफ से लगाएँगे, कुछ सरकार इस जिम्मेदारी को सँभाले। इस तरह जो मानवीय राख इकट्ठी हो उसका मानवमात्र की भलाई के लिए सदुपयोग करे। अपना समय आने पर हम इस प्रकार के जुलूसों में शहीद हुए लोगों के नाम पर अस्पताल, स्कूल-कालेज और सड़कें बनवा देंगे। जब तक देश की राजनीति में हम हैं, यह मनमानी कतई नहीं की जा सकती। हम अपने रहते देश में उन आवश्यक जिन्सों का अभाव न रहने देंगे जिनकी वजह से एक विदेशी चीज हम पर थोपी जाए।'

कुछ बुजुर्गवार विपक्षी नेता कहेंगे—'हम तो पहले ही अलग पार्टी बना लेते। पर चूँकि महात्मा गाँधी और नेताजी सुभाषचंद्र बोस ने विदेशी चीजों का बहिष्कार करने की आवाज उठाई। ये चीजें हमारे पास नहीं थीं। दूसरों के पास देखकर हमें ईर्ष्या होती थी। इसीलिए हम उनके स्वर में स्वर मिलाकर इकट्ठे चल पड़े। पर यह गलती हम दुबारा नहीं होने देंगे। हमें अपनी पिछली गलती का परिणाम आज तक भोगना पड़ रहा है। कांग्रेस, जो आज यह कहकर कि वह सबसे पुरानी पार्टी है, बार-बार बहुमत में आ जाती है, इसकी वजह हमारी देर से अलग होने की गलती के सिवाय और कुछ नहीं है। आज सौभाग्य से वही विदेशी वस्तु का शगूफा हमारे हाथ फिर लगा है और हम इसके दम पर राजनीति में गहरी पैठ बनाए बिना नहीं रहेंगे।'

मैं सरकार के इस फैसले के इंतजार में हूँ। मैं जानता हूँ सरकार के पास विपक्षियों की आपत्तियों का कोई जवाब नहीं है। मेरे पास है। ऐसा मौका आने पर सरकार चाहे तो मुझसे परामर्श ले सकती है।

फिलहाल मेरे मित्र ने राख एकत्रित कर ली है। मेरा रूमाल लेकर उसमें भी रावण की राख उन्होंने बाँधकर मुझे पकड़ा दी, जिसे लाचारी में घर ले आना पड़ा है, क्योंकि वे मेरे साथ-साथ घर तक आए और दीवार की सबसे ऊँची ताक पर रख गए।

अब आप इंतजार कीजिए उस दिन का जब मुझ पर इस राख का प्रभाव पड़ेगा और आपको समाचार-पत्रों में यह समाचार पढ़ने को मिलेगा—'हिंदी का नया हस्ताक्षर वीरेन्द्र अपने निकटतम पड़ौसी की विवाहिता धर्मपत्नी (स्वयंवरी) को उठा ले गया।'

हिस्टोरिकल सर्वे ऑव लव मैरिज

बिना बड़े-बूढ़ों के सहयोग से होने वाले विवाह को आधुनिक काल में लव मैरिज कहा जाता है। हिंदी वाले इसे प्रेम विवाह के नाम से पुकारते हैं। इस विवाह प्रथा से हम भारतीयों यानी आर्यों का बहुत पुराना परिचय है। जो लोग यह कहते हैं कि लव मैरिज नए फैशन की देन है वे अपने इतिहास से अपरिचित लोग हैं। शायद वे अशिक्षित, असंस्कारी और अज्ञानी ही हैं जो ऐसा कहते हैं।

लव मैरिज उर्फ प्रेम विवाह का चलन जंबूद्वीप के इस भरतखंड पर सृष्टि के प्रारंभ से चला आ रहा है। जैन ग्रंथों के अनुसार इस पृथ्वी पर पहले एक नर-नारी का जोड़ा एक साथ जन्म लेता था। वही युगल बड़ा होकर आपस में विवाह कर लेता था। उनके पैदा होते ही उनके माता-पिता की मृत्यु हो जाती थी इसलिए उन्हें आशीष देने वाला या बाधा उत्पन्न करने वाला कोई भी नहीं होता था। वह स्वाभाविक, निर्द्वंद्व प्रेम विवाह हुआ करता था। इसे बाद के प्रेम विवाहों की तुलना में लव मैरिज प्रथा का स्वर्ण युग माना जाता है।

तो यह तो थी सृष्टि के प्रारंभ की बात, पर इसके बाद जब मनु ने अपनी संतानों को यहाँ का कार्यभार सौंपा तो साथ-साथ समय को भी चार युगों में बाँट दिया। अब आगे हम इन्हीं चार युगों की क्रमवार चर्चा करेंगे।

सतयुग : इस युग में प्रेम इकतरफा हुआ करता था। जैसे पार्वती को शिव से हुआ। यानी पार्वती शिवजी से प्रेम करने लगीं और उन्हें रिझाने, लव मैरिज करने के लिए कैलाश पर ही जा पहुँचीं। तपस्या का रास्ता अपनाया। शिवजी प्रसन्न हुए। पार्वती से विवाह किया और इतना प्रेम करने लगे कि पार्वती से पैदा हुए बेटे के लिए हाथी का सिर ले आए। उसे बेटे के सिर की जगह प्रतिष्ठित कर दिया। और यह सब किया अपनी लव मैरिजीय पत्नी की इच्छा पूर्ति के लिए। आज भी आप हर कहीं गणेश जी को वही सिर धारण किए देखते हैं।

पर यह प्रथा ज्यादा समय तक न चल सकी। चूँकि तपस्या करते-करते प्रायः षोडसी कन्या साठोत्तरी वृद्धा हो जाया करती थी, तब भी लव मैरिज नहीं कर पाती थी। (और यों भी उस उम्र में कोई भी मैरिज करना बेमानी हो जाता था।)

त्रेता युग : फिर आया युग त्रेता। इस युग की बात ही निराली थी। इस युग ने तो लव मैरिज प्रथा में चार चाँद लगा दिए।

स्वयंवर क्या था? वास्तव में यह लव मैरिज का एक सर्वमान्य तरीका था। लव मैरिज का एक कंपटीटिव टैस्ट था। जैसा आज अखबारों में विज्ञापन देकर वायोडाटा मँगाया जाता है, तब विज्ञापन देने के लिए समाचार-पत्र न होने की वजह से ढिंढोरा पिटवाकर प्रत्याशियों को एकत्र किया जाता था और स्वीट गर्ल अपने लिए हैंडसम मैन का सलेक्शन कर लेती थी। इस तरह की लव मैरिज में यंगमैन को अपना बाहुबल दिखाना होता था। उसके आगे शक्ल-सूरत, आचरण, खानदान, धन-दौलत, रुतबा सबको नजरअंदाज कर दिया जाता था। पर गनीमत रही कि इस प्रथा में जितने भी लव मैरिज कांड हुए—जैसाकि पुराणों में लिखा है—सभी वर स्वस्थ, सुंदर, पराक्रमी और मर्यादापुरुषोत्तम निकले।

इस युग के लव मैरिजीय कपल एक-दूसरे को बहुत प्यार करते थे। तब के प्रेमी वचन के भी पक्के होते थे। यह नहीं होता था कि जब वाइफ ने जरा लाइफ़ के एडवेंचर्स बखाने कि मियाँ कोर्ट की तरफ रुखसत हो लिए।

तब के लव मैरिजीय पति अपनी पत्नी के चाहने पर स्वर्ण मृग का शिकार करने निकल जाते थे, जबकि अरेंज मैरिज के पति अपनी पत्नी को घर में छोड़कर भैया-भाभी के साथ जंगलों में भटकते रहते थे। इतना ही नहीं, उनके साथ यदि कोई कन्या अकेले में प्रेमालाप (वार्तालाप) करने आ जाए तो उसकी नाक तक काट लेते थे।

द्वापर युग : यह स्वयंवर प्रथा इस युग में भी कायम रही, हालाँकि इस प्रथा से कई बार बड़ी विचित्र परिस्थितियाँ उत्पन्न होने लगी थीं। कई बार स्वीट गर्ल बड़ी ऊलजलूल शर्तें रख देती थी। मैं उसी युवक से प्रेम विवाह करूँगी जो पैरों पर न चलता हो, या मुँह से न खाता हो, या जिसके दाढ़ी-मूँछें न हों, या बाजू हाथी की टाँग की तरह हो, या राक्षसी को मार भगाए, या नहर खोद दे, या मेरे पिता के शत्रु को पराजित कर दे, या युद्ध में वीरगति पा जाए, या वह फल लाकर दे जिसका तब मौसम ही न हो।

इस प्रथा में संभवतः आखिरी प्रेम विवाह हुआ द्रोपदी का। स्वयंवर में प्रेम का पात्र तो बना केवल अर्जुन मगर उसे विवाह करना पड़ा पाँच युवकों से। और वे पाँचों भी ऐसे निकले कि उसे जुए में दाँव पर लगा दिया और जब जुए में हार गए तो जीतने वालों में से एक साथ सौ उसके चार्म पर आँखें गड़ा बैठे। इस तरह उस बेचारी चार्मिंग गर्ल की बड़ी ही दुर्गति हुई।

उसने अपने स्वयंवर में बड़ी ही विचित्र शर्त रखी थी—तेल से भरे कढ़ाहे में परछाईं देखकर खंभे पर घूमती मछली की आँख में तीर मारो। खैर, शर्त पूरी हुई और उसके बाद उपर्युक्त हालात से उसे गुजरना पड़ा।

इनसे पहले इसी युग में दुष्यंत ने गुपचुप लव मैरिज की–शकुंतला से। नाम दिया–गंधर्व विवाह। बाद में किसी और से लव अफेयर्स चल निकलने के कारण पिछली वाइफ को बिना तलाक के विस्मृत कर दिया। काफी समय बाद जब नए अफेयर्स फ्लाप हो गए तो फिर उसी शकुंतला के पास जा पहुँचे। शकुंतला स्वयं भी नए अफेयर्स की तलाश में थी मगर एक अदद बच्चे की माँ बन जाने के कारण उसे ऐसा सुयोग पुनः न मिल सका। हार कर उसने दुष्यंत के पास वापस आना स्वीकार कर लिया।

इन्हीं के वंशज ययाति ने भी शर्मिष्ठा से लव किया मगर मैरिज करनी पड़ी दानवों के गुरु शुक्राचार्य की कन्या देवयानी से जो ययाति से इकतरफा प्रेम करती थी। उसने चिढ़कर शर्मिष्ठा को अपनी नौकरानी बना लिया जिसे राजनीतिक कारणों से ययाति और शर्मिष्ठा के पिता को स्वीकारना पड़ा। पर यही उसकी सबसे बड़ी भूल सिद्ध हुई, क्योंकि इस तरह ययाति और शर्मिष्ठा को लव करते रहने का मौका मिल गया। दोनों के लव के बीच हालाँकि देवयानी ने कई रोड़े अटकाए मगर वह उनका मेलजोल न रोक सकी।

तो कन्याओं की इस तरह की शर्तों और लव मैरिज करके ससुराल में पहुँचने पर कन्याओं की ऐसी दुर्गति होते देख लोगों ने इस प्रथा का विरोध करना शुरू कर दिया। इसलिए यह प्रथा अस्थायी तौर पर समाप्त हो गई।

मगर इधर इसी युग में यदुवंशी अपनी प्रेमिका (रुक्मणि) के स्वयंवर की बाट जोह रहे थे। और जब स्वयंवर होना पूरी तरह टल गया तो उन्होंने उसका हरण करके लव मैरिज कर ली। इसकी विस्तृत चर्चा आप के. एम. मुंशी के उपन्यास 'कृष्णावतार' के सात खंडों में पढ़ सकते हैं।

जब यदुवंशी लव मैरिज कर चुके तो उनकी लवली वाइफ ने कोई औहदा माँगा सो उन्होंने उसे पटरानी बना दिया। कन्हैया, जैसाकि सभी जानते हैं कई हजार अरेंज मैरिज कर चुके थे। लव मैरिज करके पटरानी भी बना चुके इसलिए अब आगे किसी उपाय से किसी नई लवर्स के आगे मैरिज का प्रपोजल नहीं रख सके। हालाँकि उन दिनों उनके लव अफेयर्स राधा नाम की एक स्वीट गर्ल के साथ चल रहे थे। चूँकि राधा के गार्जियन नहीं थे इसलिए कभी कोई अड़चन नहीं आई, न कोई उन्हें ब्लैकमेल कर सका और ता-जिन्दगी वे दोनों लवर्स ही बने रहे। बाद के प्रेमियों ने इन्हें पूरा-पूरा सम्मान दिया और राधा को कृष्ण की चितरानी मान लिया। राधा को कृष्ण के साथ युगल रूप में प्रतिष्ठित कर उनके प्रति अपनी सच्ची श्रद्धांजलि अर्पित की।

कलियुग : कलियुग के प्रारंभ में जैसाकि बौद्ध और जैन ग्रंथों में लिखा है–जंबूद्वीप के इस भरत खंड पर प्रजातंत्र यानी लोकतांत्रिक प्रथा का प्रादुर्भाव हुआ। तभी वैशाली गणराज्य के गणनायक श्रेणिक बिंबसार को राजकुमारी चेलना से प्रेम

हो गया। तब उनके ज्येष्ठ पुत्र अभय कुमार ने कैबिनेट में स्थान पा जाने की उम्मीद में राजकुमारी चेलना का हरण कर लिया और अपनी देखरेख में चेलना का प्रेम विवाह अपने पिता से करवा दिया।

बाद में उन्हीं के पदचिन्हों पर चलते हुए उनके छोटे पुत्र अजातशत्रु को वैशाली की नगरवधू आम्रपाली से प्रेम हो गया, जिसे प्रेम विवाह में परिवर्तित करने के लिए उन्हें तीन बार शासक दल से सशस्त्र मुकाबला करना पड़ा मगर उनके मन की साध पूरी होने से पहले ही आम्रपाली गौतम बुद्ध की शरण में जा बसी।

यह पहली स्त्री थी जिसने प्रेम की कद्र नहीं की। आम्रपाली का अनुसरण बाद में कई क्षत्रियाणियों ने किया, पर उन दिनों गौतम बुद्ध तो थे नहीं इसलिए उन्हें अग्नि की शरण लेनी पड़ी।

गौतम बुद्ध के अनुयायियों की तादाद बढ़ने का मूल कारण भी लव मैरिज रहा है। कहते हैं जिन युवक-युवतियों का प्रेम विवाह उनके माता-पिता नहीं होने देते थे वे बौद्ध भिक्षु-भिक्षुणी बन जाया करते थे और बाद में उसी वेश में लव मैरिज कर लिया करते थे।

जब आदि शंकराचार्य ने एक बार जनगणना करवाई तो भरत क्षेत्र के हर आठवें नागरिक को बौद्ध भिक्षु पाया। तब उन्होंने शंखनाद कर इसे रोकना चाहा पर वे दो कारणों से सफल न हो सके।

पहला तो यह कि बहुत से भिक्षु-भिक्षुणी देश छोड़कर बाहर चले गए। जिससे शंकराचार्य को तो कोई हानि नहीं हुई पर इस बहाने बौद्ध धर्म दूसरे देशों में भी फैल गया।

दूसरा कारण यह कि मंडन की धर्मपत्नी ने एक शास्त्रार्थ में शंकराचार्य को पारिवारिक प्रश्नों की बौछार करके हरा दिया क्योंकि शंकराचार्य पारिवारिक झमेलों से बिल्कुल अनभिज्ञ थे। तब लाचार होकर शंकराचार्य को भी लव मैरिज करनी पड़ी ताकि वे कालांतर में मंडन की पत्नी के प्रश्नों का ठीक-ठीक उत्तर दे सकें।

कहीं से कालिदास को दुष्यंत-शकुंतला का प्रेमकांड मालूम हो गया। उन्होंने जोर-शोर से इसका प्रचार कर डाला और इस पर अमल भी करना चाहा पर मल्लिका नासमझ निकली।

फिर द्वापर वाली प्रथा ही कारगर सिद्ध हुई। पृथ्वीराज चौहान ने यदुवंशीवत् संयोगिता का हरण कर लव मैरिज की। दुष्यंत वाली प्रथा भी लुकाछिपी चलती रही, पर पृथ्वीराज से प्रेरणा पाकर यह प्रथा काफी समय तक चली। संयोग से जिन दिनों पृथ्वीराज कांड हुआ उन्हीं दिनों मुगल भारत आए और उन्होंने लव मैरिज की इस प्रथा को फलीभूत कर अपने 'हरम' में अनेकों लव मैरिजीय कमनीय षोडशी रखीं।

फिर देश पर विलायतियों ने शासन किया जो स्वयं लव मैरिजीय प्रथा पर विश्वास रखते थे। उनका अनुसरण न करने की बात तय की गई, इसलिए यह प्रथा

काफी समय के लिए आम जनता के बीच से उठ गई।

बड़े घरानों ने अलबत्ता इसे इसी काल में अपनाया। वह इस भ्रम में कि वे सोचते रहे, वह विलायतियों का अनुकरण कर रहे हैं और इससे विलायत में बैठा सम्राट प्रसन्न होगा और इन्हें मान, सम्मान, पदक, सनद व उपाधियाँ, जागीरें देगा। विलायतियों ने भी इस भ्रम में कि वास्तव में उनका अनुसरण किया जा रहा है, इन्हें इच्छित पारितोषिक दिया भी, पर जब विलायतियों के हाथ पृथ्वीराज रासो, प्रिय प्रवास, अभिज्ञान शाकुंतलम्, महाभारत, रामायण जैसे ग्रंथ आए तो सारा भेद खुला यानी उन्हें पता लगा कि यह प्रथा तो यहाँ प्राचीन काल से चली आ रही है। वे शर्म से पानी-पानी हो गए और इसी शर्मिंदगी को छुपाने के लिए हिंदुस्तान को छोड़ गए।

फिर युग ने करवट ली। देश में फिर प्रजातंत्र आया। देश के प्रधानमंत्री की पुत्री लव मैरिज करके सबके लिए मार्ग प्रशस्त कर ही चुकी थी। एक रात कालिदास ने अपनी आपबीती स्वप्न में मोहन राकेश को सुना दी और यह भी स्वप्न में बता दिया कि बेटा 'कापीराइट' का नुस्खा अपने नाम सुरक्षित रखे रहना फिर लव मैरिज की वैतरणी में चाहे जब तक तैरते रह सकते हो।

मोहन राकेश ने दोनों मामलों में कालिदास की कथनी पर अमल किया। पहले तो उन्होंने कालिदास और मल्लिका को ही आषाढ़ के एक दिन की आड़ लेकर उजागर किया। फिर वे सभी के पीछे पड़ गए। दूसरे मामले में भी वे सचेत रहे और अपनी अंतिम लव मैरिजीय पत्नी अनिता को कापीराइट दे गए।

रेणु जी का कालिदास से वास्ता नहीं पड़ा था इसलिए वे सतर्क न रह सके। लव मैरिज कर हिंदी साहित्यकारों को इस ओर अग्रसर तो किया पर कापीराइट का झमेला न निपटा सके।

इधर जैनेंद्र जी ने पता नहीं कहाँ से कृष्ण के लव अफेयर्स का पूरा कच्चा चिट्ठा पढ़ डाला और तभी से वे यह समझाने पर तुले हुए हैं कि अरे भाई, लव मैरिज भले ही न करो पर लव अफेयर्स तो साहित्यिक जैसे अधम नर को भी अफोर्ड करना ही चाहिए, चूँकि साहित्यकार के लिए पत्नी के अलावा एक प्रेयसी आवश्यक रूप से चाहिए होती है। उनके इस सूत्र वाक्य को लव मैरिज कर चुके एक कथाकार, कवि, उपन्यासकार संपादक ने खूब उछाला। संभवतः इसलिए कि इससे उन्हें अपनी अरेंज मैरिजीय पत्नी को छोड़ने का अपराधबोध कम होता लगा होगा।

खैर, लव और लव मैरिज की यह प्रथा आज इस महँगाई, आपाधापी, अविश्वसनीय और न जाने कितने अविशेषणों से भरे युग में भी बरकरार है। लेकिन अब जो प्रथा शेष है उसके तीन रूप हैं।

पहला—कृष्ण वाले का विकृत रूप—लव करते रहते हैं, मैरिज नहीं होती।

दूसरा—दुष्यंत वाले का विकृत रूप—लव मैरिज करते हैं पर बच्चे नाजायज

करार दिए जाते हैं।

तीसरा—बिल्कुल नया—इसी युग का अपना आविष्कार—अपने समय, काल, स्थिति, समाज और शिक्षा के अनुरूप—लव जिस काया से शुरू करते हैं मैरिज करने तक पता चलता है यह छठी काया है जिससे लव किया था। मुसीबत में मैरिज करनी पड़ी। अब अपना मौहल्ला छोड़कर दूसरी कॉलोनी में शिफ्ट हो गए हैं। दोनों के नेक्स्ट अफेयर्स चल रहे हैं डिफरेंट-डिफरेंट सिचुएशंस में। चूँकि लाइफ में और हसबैंड या वाइफ में कोई चार्म नहीं बचा है इसलिए जल्दी ही कोर्ट में जाने वाले हैं, तलाक की सुविधा—जो इतनी पुरानी प्रथा को इतने समय बाद प्राप्त हुई है उसका चलन बनाए रखने में अपना योगदान देने के लिए।

यों भी लव मैरिज समाज का मसीहा कह ही गया है—परिवर्तनी संसारे...

(अपने पड़ौस का किस्सा आप स्वयं जोड़ लें—लेखक)

रक्षा-बंधन

वे दिन हवा हुए जब राखी का इतना असर हुआ करता था कि एक बार किसी मुगल बादशाह को किसी हिंदू महारानी ने राखी बाँधकर भाई बना लिया और जब संकट आ पड़ा राखी की याद दिला दी। चट मुगल सल्तनत रक्षा को जा पहुँची और राखी के धागों की लाज रख ली गई। मैं कल्पना करना चाहता हूँ तब राखी में कैसा धागा इस्तेमाल किया जाता रहा होगा कि इतनी विपत्ति के समय उसके कसाव से धर्म भाई को बहन की याद आ जाया करती रही होगी। उसमें गठान बाँधते समय धर्मबहन क्या पिरो दिया करती होगी।

यों रक्षा-बंधन पर्व की कथा जैन शास्त्रों में और ही रूप में मिलती है। कहते हैं एक बार हस्तिनागपुर में सात सौ जैन साधुओं को राजा बलि ने अग्नि के सुपुर्द कर दिया और तब विष्णु मुनि ने अपना वैक्रियक शरीर बड़ा कर सारी जमीन दो पग में नाप ली। राजा बलि ने उन्हें तीन पग जमीन दान में देने का वचन दिया था। तीसरा पैर राजा बलि पर रखते हुए विष्णु मुनि ने अग्नि-शमन दल की सेवाएँ प्राप्त कर मुनियों पर से उपसर्ग दूर किया। अग्नि शमन दल एक सरकारी विभाग होने से उसकी इस अभूतपूर्व बल्कि 'न भूतो न भविष्यति' सफलता के दिन को राष्ट्रीय पर्व घोषित किया गया और तब से इस दिन का अवकाश होने लगा।

फिर दिन आए जब पंडितों ने इस दिन पौ-बारह की। घर-घर जाकर राजाओं, सामंतों, धनिक और वणिक वर्ग के कर-कमलों पर रक्षा-सूत्र बाँधा। एक दिन के लिए अपना लिंग परिवर्तन किया या कहिए अपने असली रूप में आए। औरत का धर्म बताते हैं पतिवत् रहना और पंडितों, पुरोहितों का धर्म रहा यथा अन्नदाता तथा धर्म-रक्षक। आज भी बहुत से पंडित इस शुभ दिन का पूरा-पूरा लाभ उठाते हैं।

फिर यह विषय फिल्म वालों के पास आ पहुँचा। उन्होंने रखड़ी के धागों को अलग-अलग करके देखा। उनके रंगों को पहचाना। ब्लैक एंड ह्वाइट के युग से लेकर इस्टमेनकलर के युग तक वे कैमरे के कई कोणों से इसे निहारते, निखारते रहे। जब तक धागों की धज्जियाँ न उड़ा दीं इन्होंने धागे को न छोड़ा। कहते हैं डूबते को तिनके का सहारा बहुत होता है। और इस धागे ने वास्तव में कई प्रोड्यूसरों, बहन, भाई का पार्ट करने वाले एक्टरों, एक्ट्रेसों की रक्षा की। उन्हें सम्मान, शोहरत और

शोहबत बख्शी। इन धागों का ही प्रताप है कि नाजिमा, फरीदा जलाल जैसी एक्ट्रेस सर्वमान्य बहनें हो गईं। इनके साथ धागा इस तरह चिपटा कि जब देखो रक्षा-बंधन का दिन और जब देखो राखी बाँधी जा रही है। फिल्म वालों ने धागे के लाख परीक्षण किए।

बहन ने राखी बाँधी और भाई चला गया। जब बहन को जरूरत हुई या राखी का अगला त्योहार आया, भाई सात समंदर, सैकड़ों पहाड़, ढेरों गुंडे, खलनायक, नौकरी, भूख, प्यास सबको नकारता बहन के पास आ पहुँचा। इन फिल्म वालों ने राखी के साथ हीरो के करतबों, बहादुरी भरे कारनामों के रोमांचक, दिल दहला देने वाले दृश्य बार-बार, कई-कई फिल्मों में दिखा-दिखाकर यह साबित कर दिया कि मुगलों ने सल्तनत सँभालने के दिनों में जो राखी की लाज रखी वह उनके हीरो से कुछ कम ही थी।

अलबत्ता हिंदी साहित्यकारों ने रक्षा-बंधन के इस पुनीत पर्व को तरजीह नहीं दी। एक साहित्यकर्मी होने के नाते मैं इस कमी को पूरा कर रहा हूँ।

मैं इतिहासकार नहीं हूँ और न फिल्म वाला। और यो भी फिल्म वाला होने से तो कोई फायदा नहीं। फिल्म वाले अब राखी नहीं बंधवाते। उन्होंने नया तरीका ईजाद कर लिया है। बहन के साथ बलात्कार का सीन। दो काम एक साथ पूरे। दर्शक उत्तेजित और नायक के लिए बदला लेने का अवसर। दर्शक को कामयिक तसल्ली और मारधाड़ के बाद नायक की जीत पर सहानुभूति प्रकट करने का अवसर।

फिल्म वालों का ताजा-ताजा तरीका जब पुराना पड़ गया तो जैसी कि कहावत है 'मानव अपने इतिहास को दोहराता है' सो फिर वही मुगल सल्तनत वाला जमाना आ गया समझो।

अब राखी दो रूप ले चुकी है। एक रियल ब्रदर्श को जिनसे बहन को सिवाय चंद रुपयों, गहने या कपड़ों के, कुछ मिलने की उम्मीद नहीं है। रक्षा करने की तो कतई नहीं। दूसरा कजिन को।

ये जो राखी बँधे कजिन होते हैं न, ये आजकल बड़े काम की चीज हो गए हैं। राखी है पवित्रता और प्रेममय बंधु-बांधव संबंधों की प्रतीक। किसी लड़की से प्रेम करना है। मन चाहा कीजिए, पर पहले उससे राखी बंधवा लीजिए। राखी भी जरूरी नहीं बाजार से लाई जाए। आप सैंडो बनियान पहनते हैं। उसकी तनी फाड़कर लड़की को दे दीजिए। वह चार हमउम्रों के सामने उसे आपकी कलाई पर बाँध देगी। रास्ता निष्कंटक। उसकी चुनरी फाड़ लीजिए। पर अब चुनरी का फैशन समाप्त होता जा रहा है। लड़कियों के शरीर पर जो कपड़े रह गए हैं उन्हें कहीं से फाड़ने की गुंजाइश नहीं रही। हाँ, आप चाहें तो अपने बेल-बाटम की भीतरी पर्त उधेड़ सकते हैं। या फिर रक्षा-बंधन का इंतजार कीजिए। घर जाकर राखी बँधा भाई बन जाइए। उसके बाद जी खोलकर हँसी-ठट्टा कीजिए। कोई मनाही नहीं। बाद को कौन याद

रखता है कि आप क्या से क्या हो गए। और यों भी प्रेम और जंग में कोई भी तरीका नाजायज नहीं है।

नहीं तो किसी दिन अपने आप धागा बाँधकर (वही धागा जो मेरा शर्तिया विश्वास है, आपके पास जरूर सुरक्षित रखा रहा होगा) अपनी कलाई लड़की के सामने कर दीजिए। लड़की से उसे उतारने को कह दीजिए। मंडप में दोनों के पल्लुओं के मध्य बाँधने के काम में भी उस धागे को लाया जा सकता है।

रक्षा-बंधन कुछ सुखद कल्पनाएँ कर गुजरने का भी अवसर है। मान लीजिए आप किसी के राखी बँधे भाई होने जा रहे हैं। लड़की आपके दाएँ हाथ की कलाई पर राखी बाँधकर गिठान लगाने के बाद बढ़त का धागा काटने के बहाने कलाई पर होंठ रखकर मन-ही-मन मुस्करा रही है। सोच रही है ऐसा दिन रोज आए। कम-से-कम इसी बहाने शरीर संघर्षण का सरेआम अवसर मिले। वह मुँह हटाना नहीं चाहती। आपका बायाँ हाथ उसके सिर पर आशीर्वाद की मुद्रा में पहुँचा और शृंगारप्रिय हाथ उसके शस्य श्यामल कुंतलों का स्पर्श, घनत्व, लंबाई नापता कभी सिर, कभी पीठ और कभी कटि-नितंब प्रदेश तक भ्रमण करने की क्रिया में तल्लीन हो गया। लड़की के शरीर में झनझनाहट हुई। आत्मसुख ने धागे को दुआएँ दीं और वह नकली कंपनी में बना कच्चा धागा दाँतों की पकड़ से बाहर आ स्वच्छंद हो कलाई पर पड़ा रहा। दाँत खाल में चुभते रहे। हाथ पूर्ववत् काम करता रहा।

आप खयालों में खो गए। आपने देखा कालेज से निकलती राधा के पीछे श्याम आ रहा है। उसकी नीयत साफ नहीं है। उसने राधा को गैलरी में ही घेर लिया है। राखी का मूल्य चुकाने का अच्छा अवसर हाथ आया। आप वहाँ जा कूदे हैं और श्याम की जमकर धुनाई कर राधा को बचा लिया है।

इसी तरह के ढेरों खयाल आपके मन में आते रहे। आपने राधा को ढेरों नामी-गिरामी बदमाशों से घिरा देख लिया। हर बार आपको उसके शीलवती बने रहने पर दुख हुआ। आप अपने पुरुषत्व का लोहा और भी कठिन समय में मनवा कर उसे प्रभावित करने का अवसर चाहते रहे, इसलिए इससे भी ज्यादा कुकुर्मी के साथ उसके साक्षात्कार की कल्पना आपके मन में पनपने लगी, क्योंकि आप मन-ही-मन राखी का अधिक-से-अधिक श्रेयस्कर और पुरुषत्व को प्रतिष्ठित करने वाला अवसर जो चाहते रहे। संयोग से आपके मन में ऐसा एक दृश्य आ जमा।

आप राधा को छुड़ाने के लिए जा पहुँचे। उस बदमाश को जोर से आपने दबोच लिया। वह गिड़गिड़ाया—'मुझे छोड़ दो।' आपने और जोर से दबोचा और बोले—'मैं नहीं छोड़ूँगा।'

'ओ हो, अभी तो छोड़ो। रियल ब्रदर्श को राखी बाँधने जा रही हूँ। तुम तब तक राखी उतारकर जेब में रखो। मैं फिर राखी बाँधने आऊँगी तब मत छोड़ना।'

अपने को छुड़ाती हुई राधा चल पड़ी। अब आपको होश आया और खुशी-खुशी राखी की तरफ देखते आप उसे उतारकर जेब में रखने लगे।

काम अधिक बातें कम

मुझे सरकार पिछले सात वर्षों से यह कहकर टाले जा रही है कि हम तुम्हें अब बारोजगार कर देंगे। हर साल में एक खास महीने की खास तारीख को उनके पास पहुँचा करता हूँ। वे अब मुझे गौर से देखते हैं। बेरोजगार होने के बाद भी मुझे जिंदा देखकर हैरान भी होते थे शुरू में, पर अब ऐसा नहीं होता। पिछले तीन वर्षों से वे मुझे मेरी गलत लाइन की तरफ इशारा कर पूरा प्रवचन देते हैं। मैं बेरोजगार हूँ इसका कारण वे यही बातते हैं कि मुझे कोई और विषय लेना चाहिए था।

बहरहाल, जब मैं रोजगार दफ्तर में जाने लगा तो अचानक दरवाजे पर नजर पड़ी। बड़े-बड़े अक्षरों में लिखा था : 'आइए हम प्रधानमंत्री के बीस सूत्री कार्यक्रम को सफल बनाएँ।'

साथ चल पड़ने की मुद्रा में मैं भीतर गया। सच तो यह है कि गर वहाँ ऐसा न लिखा होता तो भी मैं पिछले सात वर्षों की तरह वहाँ आता ही। भीतर जाकर जो चीज मैं देखता था वह है नोटिस बोर्ड। शायद कोई रिक्त स्थान की सूचना लगी हो। पर उस बोर्ड पर बीस जमा पाँच सूत्रों का पूरा बड़ा मीमो देखकर गर्दन झुका ली। पूरा रोजगार दफ्तर स्लोगनों से पटा पड़ा था। मुझे लगा मैं किसी सुलेख प्रतियोगिता भवन में आ गया हूँ। उन सब इश्तहारों के बीच से खिड़की को खोज निकालना आसान नहीं था। जैसे-तैसे मुझे खिड़की दिखाई दे गई। मैंने झाँककर देखा। भीतर सब कर्मचारी आ गए थे। आफीसर साहब सब की मेजों पर सरसरी निगाह डाल रहे थे। हर मेज पर एक-एक नीले अक्षरों में लिखा मोटो रखा था। जिसे हिंदी में प्रेरणा वाक्य भी कहा जा सकता है। उन्होंने सबके प्रेरणा स्रोत का निरीक्षण किया। अपने कमरे के दरवाजे के पास आए और एक बड़ा-सा बोर्ड स्वयं अपने हाथों से टाँगा। उस पर लिखा था—आपातकाल अनुशासन पर्व है।

अनुशासन पर्व है यह बात मैं कई अवसरों पर मान चुका था। जब बस के इंतजार में घंटों खड़े रहने के बाद एकमात्र आती बस में चढ़ने लगा तो कंडक्टर ने बस हाँक दी। चूँकि वह मुझे अनुशासन भंग करने का अवसर नहीं देना चाहता था, सो बस हाँक ले गया। बस की पीठ पर लिखा था—'अधिक पेड़ उगाइए।' जिससे

बसें आसानी से सड़कों पर न चल सकें और आप मन चाहे ढंग से उसमें चढ़ जाएँ।

जिस खिड़की को पोस्टरों के बीच मैंने खोज निकाला उसमें हाथ देकर अनुशासित कर्मचारी को अपना कार्ड दे दिया। उसे कार्ड पर लिखे नंबर से मेरे असली हुलिया का मिलान करना था। मुझसे पूछना था कि मैंने कोई नई डिग्री तो नहीं ले ली, मैंने घर तो नहीं बदल लिया।

खाली आदमी ये दो काम जरूर करता है। अगर देश में बेरोजगारी समाप्त हो जाए तो आप देखेंगे कि शिक्षा के प्रति लोगों का रुझान कम हो जाएगा। अब तक होता यह है कि जिन्हें नौकरी नहीं मिलती वे अगली डिग्री के लिए पढ़ाई शुरू कर देते हैं। जब तक कुछ नहीं करते स्टडी करते रहते हैं। इन्हें इतनी स्टडी करते देखकर नवकिशोरों में यह विश्वास घर कर जाता है कि इतनी स्टडी करने पर ही काम का आदमी बना जा सकता है। परिणामस्वरूप वे भी स्टडी करते हैं और इस तरह हमारे महाविद्यालय भरे-पूरे नजर आते हैं। दूसरे, बेरोजगार आदमी अगर अकेला है तो वह दो-तीन महीने से ज्यादा किसी एक मुकाम पर नहीं टिकता। साल में तीन-चार मकान तो उसे अवश्य बदल लेने पड़ते हैं। कहीं उदारमना मकान मालिक मिला तो साल में दो-एक और कहीं विपरीत मिला तो हर महीने एक या दो। यह बात रोजगार दफ्तर वाले खूब अच्छी तरह जानते हैं क्योंकि उनका रोज ही ऐसे लोगों से वास्ता पड़ता है।

पर इस कर्मचारी ने कोई जानकारी प्राप्त करना जरूरी नहीं समझा। मैं दो-एक आवश्यक जानकारियाँ देना चाहता था पर ज्यों ही मैं उनकी ओर मुखातिब हुआ उन्होंने मेरा कार्ड मेरे हाथ पर देकर दूसरे कार्यकर्ता की ओर पहुँचने का इशारा कर दिया। अपनी गरज से मैं फिर भी वहीं अड़ा रहा। दूसरे लोग जो मेरे पीछे खड़े थे सभी मेरी तरह बेरोजगार थे पर वे मुझे धकेलने की कोशिश कर रहे थे। उन्हें कोई काम नहीं था पर वे सब जल्दी में थे। उस कर्मचारी ने मेरी बात का उत्तर दिए बिना अपनी मेज पर रखा मोटो मेरे सामने कर दिया। वह उनका सटीक उत्तर भी था। मोटो पर नीले बॉर्डर से घिरा एक वाक्य लिखा था—'काम अधिक बातें कम।' वह उस पर हद से ज्यादा अमल कर रहे थे। काम अधिक को उन्होंने नजरअंदाज थोड़ा-बहुत किया पर उतना ही बल बातें कम पर दिया। वह बातें बिल्कुल ही नहीं कर रहे थे। इस तरह मोटो पर अमलीजामे का संतुलन बराबर हो गया।

मैं आगे बढ़ा। दूसरे कर्मचारी से मैंने यह अपेक्षा की कि यह जरूर मेरी बात सुनेंगे क्योंकि उनकी मेज पर यह मोटो नहीं था। पर उन्होंने भी मेरी बात नहीं सुनी। मैंने गौर से उनकी तरफ देखा। याचना-सी चेहरे पर ओढ़ी, तभी उन्होंने कार्ड मेरे हाथ पर रखते हुए अगले अधिकारी की तरफ इशारा किया। मैं तब भी वहाँ से नहीं हिला तो उन्होंने अपना मोटो मेरे सामने कर दिया। उस पर लिखा था—'काम जल्द निपटाइए, देश को आगे बढ़ाइए।'

जब देश ही बढ़ रहा था तो मैं कैसे पीछे रुक सकता था। लिहाजा मुझे भी ... के साथ आगे बढ़ना हुआ। अब जिस तीसरे अधिकारी के पास मुझे पहुँचना ... बड़े सख्त मिजाज थे। पिछले सात सालों से मैं उन्हें यहीं, इसी सीट पर बैठ ...ए देख रहा था। मैंने यहीं कानाफूसी में सुना था कि अपनी तुनकमिजाजी के कारण ही वह यहीं के यहीं रह गए। उन्हें मेरे कार्ड पर दस्तखत करने थे। उनके दस्तखत मेरे बेरोजगार होने का प्रमाण, मुझे वर्ष भर में रोजगार दिलाने का सरकारी वार्षिक आश्वासन और मुझे निश्‍चिंत होकर कोई और डिग्री ले लेने का जुगाड़ बनाने का प्रोत्साहन सब कुछ हुआ करता था। मैं उनके पास पहुँचा। उन्होंने अप्रत्याशित रूप से मुझे भी देखा और बैठने के लिए कुर्सी पेश की।

नोट : यह विश्‍व का ही नहीं ब्रह्मांड का पहला और अंतिम असंवैधानिक कार्य था।

तो जब मैं आश्‍चर्य मिश्रित मन लिए उनके सामने बैठ गया तो वह बोले, 'आप कुछ उद्‍गार मन में समोए बैठे हैं?'

उनका वाक्य संयोजन, जो निश्‍चित रूप से किसी पुस्तक से चुराया गया था, फिर भी वह वाक्य संयोजन मुझे भा गया। मैंने कहा, 'जी हाँ।'

वह बोले, ''तो बोलिए न।'

मैंने कहा, 'जी यों तो बोलना मना है आजकल। फिर भी मैं कुछ बोलने की कोशिश करता हूँ। आप चाहें तो मेरे वक्तव्य के आधार पर इसकी जाँच-पड़ताल भी करा सकते हैं। मैंने एक और उपाधि ले ली है। दूसरे जिस गली में मैं रहता था उस गली के तमाम मकानों पर बुलडोजर चलाकर गली ढहा दिए जाने से दूसरी गली में कमरा किराए पर ले लिया है। लिहाजा ये दोनों सूचनाएँ मेरे कार्ड में बदलवा दें।'

वह झट उठे और कार्ड पर लिखा नंबर नोट किया। पहली खिड़की के पास आए। अपने आप फाइल निकाली। वापस आकर बैठे। मेरा फार्म निकाला और दोनों चीजें दुरुस्त कर दीं। मैं कृतकृत्य हो गया।

मैंने कहा, 'आपका बहुत-बहुत धन्यवाद। यों तो यह काम पहली खिड़की वाले का था और उसे ही कर देना चाहिए था, पर उसने नहीं किया। आपका काम नहीं था, फिर भी आपने कर दिया, इस बात के लिए मैं आपका चिरऋणि हूँ।'

वह बोले, 'धन्यवाद काहे का। हमारा तो काम ही यह है।'

मैं उनकी बात न समझ पाया। चूँकि मेरे हिसाब से तो उनका काम था केवल हस्ताक्षर करना।

वह समझ गए दिक्कत कहाँ आ रही है। मेरे पूर्वाग्रह को नष्ट करने के लिए उन्होंने अपनी मेज पर रखी एक फाइल हटाई। उसके नीचे से एक मोटो अवतरित हुआ जिसे वह दत्तचित्त होकर देखने लगे। शायद उससे प्रेरणा प्राप्त करने लगे थे।

उस पर लिखा था—'हमारा लक्ष्य जनता की सेवा।'

उनकी दत्तचित्तता का लाभ उठाते हुए मैं वहाँ से आगे खिसक ही रहा था तभी लगा कोई पैरों के पास आ टकराया है। मैंने हैरानी से नीचे देखा। सदियों से बैठा चला आ रहा अर्जीनवीस (मुंशी) बदस्तूर अपना डैस्क लिए जमीन पर आसीन था। उसी की डैस्क मेरे पैरों से टकराई थी। मैंने हैरानी से देखा। मुझे आशा नहीं थी कि मुंशी जी वहाँ होंगे।

मैंने मुंशी जी से पूछा, 'अनुशासन पर्व में आप यहाँ कैसे?'

वह मेरी बात सुनकर मुस्कुरा दिए। अपनी डैस्क खोलकर एक पर्दानशीं चित्रफलक मुझे दिखाया जिसमें युवकों के नेता, युवा हृदय सम्राट जो चित्र में वास्तविकता से कहीं ज्यादा प्रौढ़ नजर आ रहे थे, खड़े दिखाई दिए और मुंशी जी इसी मुद्रा में बैठे उनकी अर्जी भर रहे थे। पर्दे पर बड़े-बड़े अक्षरों में लिखा था—'देश की नेता इंदू गांधी, युवकों के नेता संजू गांधी, युवतियों की नेता मेनका गांधी, बच्चों के नेता राहुल गांधी।'

यही था उनके वहाँ मौजूद रहे आने का रहस्य, जो अपने आप में बहुत बड़ा था, महत्वपूर्ण था, पूजित था और उसे पोषित करना अधिकारी वर्ग का नैतिक कर्तव्य था।

मैं अनुशासन पर्व की झलकियाँ देखता बाहर की तरफ चल दिया। जिस दरवाजे से बाहर आना हुआ उस पर लिखा था—'हम सुनहरे कल की ओर बढ़ रहे हैं।'

एक गोपनीय पत्र

माई डियरेस्ट ओल्ड एफ...

तुम्हें यह पत्र लिखते समय मुझे जितना दुःख हो रहा है, सच जानना इतना दुःख मुझे तब भी नहीं हुआ था जब मैं उस आदमी को वोट देकर आया था जिसे मैं दिलो-जान से बुरा समझता था। पर मैं क्या करता। हमारे इलाके से जितने भी लोग चुनाव में खड़े हुए थे वे सभी बुरेपन में एक से बढ़कर एक थे। और जब मुझे इतने बुरों में से कोई एक बुरा चुनने का अवसर मिला, मैंने उसे चुन लिया। मेरी विपदा केवल मेरी हो सो बात नहीं है। यह तो पूदे देश की विपदा है। खैर, अब हम सामूहिक रूप से इस विपदा पर पूरे पाँच वर्ष शोक-सभाएँ आयोजित कर लेंगे।

तुम्हारी बात अलग है। तुम सामूहिक नहीं थीं। पर मैं यह भी पूरे विश्वास से कैसे कहूँ। जब मैं इस विभाग में आया, मेरे हाथ में तुम्हें थमाते हुए, अंडर सैक्रेटरी साहब, जो ज्यादातर श्हर तक से बाहर रहते हैं, ने कहा था, 'अब से यह तुम्हारी कस्टडी में रहेगी।'

तुम नाराज तो नहीं हो रही हो प्रिय! तुम्हें नाराज होना भी नहीं चाहिए। सरकारी वस्तुओं को स्वभाव से परमहंस होना अनिवार्य है। यदि वे ऐसी नहीं हो सकतीं तो बहुत कष्टकर होगा। निजी वस्तु और सार्वजनिक वस्तु में यही मूल भेद है। निजी ईर्ष्यालु, डरपोक और अप्रकट रहती है। सार्वजनिक वस्तु परमहंस अवस्था को प्राप्त हो जाती है। मैं विश्वासपूर्वक यह जानता हूँ कि तुममें यह गुण अवश्य है।

याद है जब तुम्हें मेरी कस्टडी में किया गया तुम बहुत साफ-सुथरी और हल्की-फुल्की थीं। तुम्हारे रख-रखाव पर मैंने पूरा-पूरा ध्यान दिया। चूँकि तुम्हें सही रखने से ही मेरी पदोन्नति संभव थी। तुम बहुत तेज-तर्रार थीं। बड़े जोर-शोर से तुम्हारी तरफ ध्यान दिया जाता था। और तुम्हें कभी ज्वाइंट सैक्रेटरी, कभी अंडर, कभी आउटर, कभी एक्सटर्नल और कभी स्वयं मिनिस्टर देखा करते थे। तुम पर ढेरों रिमार्क किए जाते और तुम अपनी बदशक्ल लेकर मेरे पास निर्लज्ज की तरह आ जाया करतीं। मैं भी तुम्हारा एक ही आशिक जो हर हालत में तुम्हें स्वीकार कर लिया करता था क्योंकि मुझे तुमसे बड़ी आशाएँ थीं। तुम मेरे सपनों की रानी

थीं। मेरे हृदय साम्राज्य की मलिका थीं। इन दोनों स्थानों पर मैंने विवाह हो जाने के बाद पत्नी को भी तवज्जो नहीं दी। जब उसने उलाहना दिया तो मैंने साफ कह दिया, इधर हाउस फुल है। उसने अपनी सौतन का नाम पूछा। तब मैंने झट तुम्हारा नाम बता दिया—'फैमिली प्लानिंग।' कितना प्यारा नाम था तुम्हारा। पर कई लोग तो इसी वजह से तुमसे कतराते थे। मेरी पत्नी ने जो तुम्हारा नाम सुना तो पहले वह लज्जावती बनी फिर रुद्र रूप धारण किया और कहने लगी, 'शादी हुए चार दिन नहीं हो पाए कि लगे फैमिली प्लानिंग को दिल से लगाने। ऐसे ही ब्रह्मचारी थे तो मुझसे नाता क्यों जोड़ा।'

पर मैंने उसे साफ बता दिया, 'शादी की है तो बच्चे भी करूँगा, आखिर तुम्हें कुछ तो काम मिले करने को। पर फैमिली प्लानिंग से नाता नहीं टूटेगा। वह मेरे दिल की रानी है और दिल में ही रहेगी।'

पत्नी इतना सुनकर आश्वस्त हो गई कि मैं बच्चे तो पैदा करूँगा। तुम्हारा यह नाम और भी जगह काम आया। तुम्हें लेते-देते लोग सकुचाते थे। तुम मुँहफट भी बहुत थीं। उस बेचारे रामाधार की बात अगर अपने पेट में दबाए रहतीं तो क्या हर्ज था? आखिर वह अपना ही आदमी था। पर मैं जानता हूँ तुममें भी वही परमहंस वाली स्थिति आ गई थी। हमारे यहाँ लोग इतनी अच्छी-अच्छी योजनाएँ तब तक अपने पेट में रखे रहते हैं जब तक वे खुद उस मंत्रिपद पर न पहुँच जाएँ जहाँ से वह योजना पूरी होनी है। चाहे भले ही योजना का समय निकल जाए। पर तुमने रामाधार का यह भेद खोलकर कि उसने नसबंदी नहीं कराई है उसे निराधार छोड़ दिया और उसके बधिया हो जाने की लिखित खबर पाकर ही तुम संतुष्ट हुईं।

रामाधार के बधिया होते ही तुम मुटाने लगीं। सच मानो तो तुम्हारा बर्थकंट्रोलर रामाधार ही था। उसने तुमसे नाता तोड़ा और तुम मुटाने लगीं। देखते-देखते तुम इतनी मोटी हो गई की विभाग के सभी आदमियों ने तुम्हारा संसर्ग लगभग छोड़-सा दिया। केवल मैं, हाँ केवल मैं—तुम्हारा पालन करने के कारण तुम्हारा पिता, तुमसे प्रेम करने के कारण तुम्हारा प्रेमी और तुम्हारे साथ नैतिक, अनैतिक, एकांती और सार्वजनिक श्लील, अश्लील संबंध रखने से तुम्हारा पति, तुम्हारी आराधना करने से तुम्हारा पुजारी, इतना सब कुछ जो तुम्हारा मैं था, उसने तुम्हारा साथ तब भी न छोड़ा।

यों तुम्हारा मुटापा मेरे बहुत काम आया। जहाँ तुम्हें ला बिठाया बाकी सब चीजें ढक गईं। बस केवल तुम्हारा ब्रह्मरूप ही सर्वत्र नजर आया। और इस तुम्हारे मुटापे ने मुझे कई बार मुसीबतों से बचाया।

जब तुम जरूरत से ज्यादा मुटा गईं तो यह फैसला किया गया (मैंने नहीं) कि तुम्हारे लिए एक-दो सहेलियों का प्रबंध किया जाए। वे भी आईं। पतली-दुबली-सी। जैसे कि सरकारी विभागों में नय आया हर कोई होता है, चूँकि आदमी तो यहाँ आने के बाद ही मुटाता है। वे तुम्हारे आसपास जगह बनाकर बैठ गईं। पर मैंने तुम्हें

नहीं भुलाया। तुम मेरी पहली प्रेमिका थीं। मैं तुम्हारा एकनिष्ठ प्रेमी। कहते हैं पुरानी शराब में और ज्यादा मजा होता है। फिर तुम तो शराब से बढ़कर थीं। तुम्हारी सहेलियाँ ज्यादा दिन नहीं टिक सकीं। वे तो किसी से हिल-मिल भी नहीं पाईं। और सच मानो तो मैं उन्हें हिकारत की नजर से देखता था। मैं जानता था ये दगाबाज निकलेंगी। वही हुआ भी। मेरा संदेह ठीक निकला। वे तुम्हारा भी इंतकाल लेकर आई थीं।

मैं जब एक बच्चे का बाप बनते ही बधिया होकर दफ्तर आया मैंने सुना सरकार बदल गई है। जब अपनी मेज पर पहुँचा तो अंडर सैक्रेटरी ने बुलाया। वहाँ पहुँचते ही मुझे देखकर वह बोले, 'कांग्रेचुलेशन मिस्टर शेरसिंह। अब सरकार बदल गई है। नई सरकार जो आई है वह अपनी है। अपनों में से है। इसलिए हमारा प्रयास होगा कि अपने लोगों की संख्या और ज्यादा बढ़े जिससे हम आगे भी बहुमत से अपनी सरकार बना सकें।

'अब सरकारी नीतियों में क्रांतिकारी परिवर्तन किया जाएगा। अब हम लोगों को बधिया नहीं करेंगे बल्कि उनका, उनके परिवार का कल्याण करेंगे। इसलिए आप फैमिली प्लानिंग की वह मोटी और दोनों पतली फाइलें बंद कर दीजिए। उन्हें स्टोरकीपर के पास भेज दीजिए। स्टोरकीपर को मैंने कह दिया है कि इन्हें सँभाल कर रखे। इन्हें बहुत जल्दी ही गृह मंत्रालय किसी आयोग के आदेश पर अवलोकनार्थ माँग सकता है।'

आगे का हाल तुम्हें मालूम है। मैं तुम्हें और तुम्हारी दोनों सहेलियों को एक कागज में बाँधकर उस पर 'अपनी सरकार की सेवार्थ' का ठप्पा लगाकर स्टोर कीपर को दे आया था। वही रामाधार अब स्टोरकीपर है। उसने मेरे देखते-देखते तुम्हें कई बड़ी फाइलों के नीचे दबाकर रख दिया था।

आज मैं कल्याणी फाइल बना रहा हूँ। तुम्हें पता है न, अब हमारे विभाग का नाम परिवार नियोजन से बदलकर परिवार कल्याण रख दिया गया है। ऐसे मौके पर तुम्हारा स्मरण हो आना स्वाभाविक था इसीलिए यह गोपनीय पत्र लिखा है। मैंने तुम्हारे प्रति पूरी सहृदयता हमेशा दिखाई है और उसे इस समय भी नजरअंदाज नहीं कर रहा हूँ। मैं यह कल्याणी फाइल 'तुम्हें समर्पित' के भाव से प्रारम्भ कर रहा हूँ। चूँकि मैं जानता हूँ, देर सबेर इसे तुम्हारे वाला ही रूप लेना होगा। यह फाइल मेरे पास पता नहीं कितने दिन रह पाएगी, क्योंकि आज ही हमें निर्देश मिला है कि अपने दफ्तर से सब मेजें, कुर्सियाँ, अलमारियाँ हटा दें। यहाँ चादर, दरी बिछेगी और यह फाइल दरी के नीचे रखकर मैं उस पर बैठा करूँगा। तुमने मेरा उपकार नहीं किया, जबकि मैंने तुम्हें सदा अपनी आँखों के सामने रखा। अब देखना है यह कल्याणी मेरा भार सँभाल पाती है, मेरा कुछ कल्याण कर पाती है या नहीं।

तुम्हारा पूर्व प्रेमी,
शेरसिंह 'बधिया'

भीतरी बात

जो अभी मेरे सामने बैठे थे वह मेरे अच्छे मित्र हैं। मैं मित्र ही मानता हूँ उन्हें, पर वे मुझे मित्र से भी ऊपर अपना सहोदर मानते हैं। सहोदर मानने के पीछे उनके पास दलील है। जब वे प्यार के मैदान में उतर रहे थे तब दूसरे पक्ष पर जब-जब आक्रमण करना चाहते, मुझे उनका दूत बनना पड़ता था। कभी अंगद, कभी हनुमान और कभी कृष्णवत्। जब वे आक्रमण के तरीके को नाकामयाब पाते तब मुझे शिमला समझौते की तैयारी करनी पड़ती। मैं नहीं जानता मेरे दूतपन का या उनके संधिपत्रों का; किन का असर बन आया कि वे दो शरीर एक आत्मा हो गए। मेरा दूत बनने का अवसर तो गया ही मुझे गृहदाह का कारण मानकर इसी आशंका में विभीषणवत् लंका से बाहर तक कर दिया गया।

समय ने पलटा खाया और अब उन्हें फिर मेरी जरूरत महसूस होने लगी। फिर शिमला समझौते होने लगे। दूत बनना पड़ा। अब भी यही भूमिका मैं निभा रहा हूँ।

आज इन्हें फिर मुझे सहोदर मानना पड़ा। जब यह आए बड़े दुःखी थे। शिक्षक हो जाने के बाद मैंने इन्हें कुछ-कुछ ऐसा ही देखा था। पर आज जैसे शादी से लौटने के बाद तोहफे से खाली हाथ देखकर औरतें ढीली पड़ जाती हैं वैसी ही हालत इनकी थी। पर रात बिस्तर पर जाते हुए पति को पहले से बिस्तर पर लेटे-लेटे अपनी तरफ देखकर औरत में अभी कुछ देर पहले गुजारी शादी की पार्टी की और उसके जोड़े की याद से जो एक उन्माद-सा उठता है ठीक वैसे ही मुझे पूरी सहानुभूति के साथ अपनी तरफ देखता हुआ जानकर इन्हें कुछ सांत्वना-सी महसूस हुई। पर अचानक बिस्तर पर पहुँचते ही पति के कहने पर कि—'प्रिय कभी हमारी भी शादी हुई थी' जिस तरह की दयनीय हालत स्त्री की हो आती है बिल्कुल वैसी ही हालत इनकी भी मेरी बात सुनकर हो गई।

मैंने बड़ी आत्मीयता से उनके अध्यवसाय का स्मरण दिलाते हुए पूछा, 'कहो, अध्यापकी कैसी चल रही है?'

कुछ देर मेरी तरफ ऐसे देखते रहे मानो मैंने कोई अनैतिक बात कह दी हो।

फिर कुछ हिकारत से बोले, 'वही तो मुसीबत की जड़ है।'

मैं हैरान, कुछ रोज पहले जब ये मियाँ-बीवी शिक्षक लग गए तो इनकी पत्नी अक्सर मुझे भी उत्साहित करती थीं, 'भाई साहब, आपने भी टीचर ट्रेनिंग की हुई है, कहीं लग क्यों नहीं जाते?'

मैं उनकी बात पर कई बार गंभीरतापूर्वक सोच भी चुका था पर लगने के लिए लगाने वाला नहीं मिल रहा था। आज इनकी बात सुनकर मुझे हैरानी हुई। पूरी सहानुभूति और गंभीरता दिखाते हुए पूछा, 'वट प्राब्लम्स?' हो सकता है यह वाक्य अशुद्ध लगे पर अंग्रेजी जिनकी मदर टंग से ऊपर हो जाती है वे शुद्ध नहीं अशुद्ध अंग्रेजी बोलते हैं। लोगों का यह ख्याल हो गया है कि जिसने अंग्रेजी कुल सीखी भर है वह हमेशा शुद्ध ही बोलेगा पर जिनकी यह 'माँ भाषा' हो गई है वे व्याकरण को नकारते हुए बोलते हैं। वह भी मुझे अपने मापदंड पर परख कर गंभीर मान चुके थे।

'यार जब पढ़ते थे तो जमाना था कि मास्टर बहुत पीटते थे सो हम भी खूब पिटे। सोचते थे मास्टर बनकर ब्याज सहित इस शारीरिक कष्ट की क्षतिपूर्ति कर लेंगे। अब मास्टर बने तो जमाना भी बदल गया। अब लड़के मास्टरों को पीटते हैं। हम तो दोनों तरफ पिटे।'

उनकी बात सुनकर समझ में आया जनाब आज पिटकर आए हैं। उनके पिटने को मैं कहीं गलत न समझ लूँ इसलिए स्पष्टीकरण के लिए बोले, 'मैं तुम्हें एक भीतरी बात बताता हूँ। अब मास्टरी का मूल्यांकन अच्छा या बुरा पढ़ाने से नहीं बल्कि पिटने से होता है।'

मैं उनकी बात न समझ पाया। उनकी तरफ देखा। मेरी उत्सुकता का आभास पा वह व्याख्या करते हुए बोले, 'जो पिटकर भी टिका रहे उसकी नौकरी और योग्यता बरकरार और जो बिदक जाए उसकी...।'

अब तो मैं उनके पिटने पर संवेदना तक प्रकट नहीं कर सकता था। धीरता पर संवेदना नहीं बल्कि प्रशंसा की जाती है। उन्हें मुझसे यही अपेक्षा भी बनी रही, पर मैं इतना दृढ़ निश्चयी व्यक्तित्व देख मूक रह गया।

उनके जाते ही मुझे उनकी पत्नी की बात याद हो आई, तब मैं सोचने लगा—जिस दिन पिटने की सामर्थ्य मुझमें आ जाएगी मैं भी मास्टर बनने की कोशिश शुरू कर दूँगा।

मैं पिटने के मामले में कम सौभाग्यशाली रहा हूँ। जब चौथी में था मुझे इकतालीस का पहाड़ा बनाने का श्रेय मिला और इसी के एवज में मानीटर बना दिया गया। आठवीं तक मानीटर रहा। मानीटर के पिटने के अवसर बहुत कम आते हैं। पाँच साल की मानीटरी ने मुझे दबंग बना दिया और नौवीं में आते ही दादा घोषित कर दिया गया। वैसे दादा घोषित होने का एक और कारण रहा। हमारे कक्षाध्यापक

का लड़का भी हमारे साथ पढ़ता था। बाप-बेटे ने सलाह की और मुझे दादा घोषित कर मानीटरी के चुनाव में आने के अधिकार से वंचित कर दिया। कोई प्रतिद्वंद्वी न मिला तो उनका लड़का निर्विरोध मानीटर बन गया। दादाओं के भी पिटने के अवसर बहुत कम आते हैं और मैं फिर इस सौभाग्य को पाने से बच गया। बी. ए. से यह प्रथा कुछ उलट जाती है, कुछ कम हो जाती है।

पिटा तो नहीं पर पीटने का चाव मानीटरी के जमाने में बाघ को खून की तरह, पुराने कांग्रेसी को पद की तरह लग गया था। टीचर ट्रेनिंग में आया। सोचा, पता नहीं अध्यापक बन पाऊँगा या नहीं। छात्राध्यापक काल में ही अपने हाथों की खुजली दूर कर लूँ। पर पहले ही दिन शिक्षण-प्रविधि और फिर शिक्षा-मनोविज्ञान के अध्यापक ने हमारी तमन्ना पर पानी फेर दिया।

पहले बोले, 'छात्राध्यापक कभी भी छात्रों पर शारीरिक-दंड का प्रयोग नहीं करेगा।'

दूसरे बोले, 'छात्राध्यापक कठोर वाक्य बोलकर मानसिक दंड नहीं देगा।'

बड़ी मुसीबत हुई। जब पहली बार पढ़ाने पहुँचे तो पता चला, अध्यापकों और छात्रों को यह निर्देश नहीं मिले हैं। दसवीं क्लास में हिंदी पढ़ाने जाना पड़ा। जाते ही छात्रों ने उखाड़ने की कोशिश की। हम तो फुटबाल में बैक पर, क्रिकेट में विकटों पर हमेशा ऐसे खड़े हुए थे कि न उखड़ने में सदा अग्रणी। इधर भी उखड़ने को तैयार न थे। शोर मचाती क्लास देखकर हमें मानीटरी याद आई फिर दोनों अध्यापकों के निर्देश। हमने एक नया तरीका निकाला। लड़कों को साँस लेने के लिए चुप होते देख धर पकड़ा। दो लड़कों की तरफ इशारा कर उन्हें पूरी कक्षा में शोर करने का जिम्मेवार ठहराकर बाकी लड़कों को, उन दो लड़कों के शोर करने से होने वाली हानि बताई। जब लड़कों को पता लगा कि इन दो की वजह से हानि हुई है तो वे झट मेरी तरफ हो गए। मैं पीट नहीं सकता था। मैंने पूरी कक्षा को उन दो लड़कों को क्या दंड दिया जाए इसकी सलाह देने को कहा। सभी लड़कों ने कहा मैं उन्हें थप्पड़ मारूँ। मैं थप्पड़ मार नहीं सकता था इसलिए यह काम मैंने सभी लड़कों पर छोड़ दिया। दोनों को सत्तर थप्पड़ पड़े तो सब लड़के अपने-आप चुप बैठ गए। बोलने से पहले उन्हें सोचना पड़ता और सत्तर तमाचे अपने गाल पर तड़ातड़ पड़ते दिखाई देने लगते। फिर कोई न बोला। हमारा मास्टर पीछे बैठा तमाशा देख रहा था।

मैंने हिंदी पढ़ानी शुरू की। मैं कह रहा था, 'इसका तात्पर्य यह है कि...' तभी एक लड़का पीछे से बोला, 'सर जी, तात्पर्य का मीनिंग बताइए।' मैंने कहा, 'तात्पर्य–अर्थात्–सारांश।' तभी दूसरा लड़का बोला, 'सर जी, सारांश का मीनिंग क्या हुआ?'

मैं कुछ बोलता इससे पहले ही एक और लड़का बोला, 'सर जी मैं बताऊँ?'

उस लड़के को वार अपने ऊपर लेते देख मैंने कहा, 'अवश्य बताओ।'

उसने बताया, 'तात्पर्य का अर्थ है मतलब।'

जिस लड़के ने प्रश्न पूछा था वह बोला, 'सर जी, आप इतना सरल अर्थ न बताकर कठिन-कठिन बताते हैं।' तीनों लड़के बैठ गए। मुझे याद आया। हमें निर्देश मिला था, 'प्रत्येक भाषा के शिक्षण के समय मात्र उसी भाषा का उपयोग करें। फिर मैं कैसे 'तात्पर्य' का अर्थ 'मतलब' बताता? 'मतलब' तो हिंदी का शब्द नहीं है। तभी मुझे हँसी आ गई। खामखाह हमारी सरकार त्रि-भाषा सूत्र, त्रि-भाषा सूत्र चिल्लाती है। यहाँ तो पहले ही तीन-भाषाएँ एक ही पीरिएड में पढ़ानी पढ़ती हैं। फिर कौन से स्कूलों का सर्वे करके यह कमी महसूस की गई?

मुझे मुस्कुराते हुए देख एक लड़का बोला, 'सर जी जानते थे पर जान-बूझकर कठिन मीनिंग बताया है।' इस पर सभी लड़के मंद-मंद मुस्कुराने लगे। चलो बात रह गई सोचकर मैं आश्वस्त हो गया।

कक्षा से पढ़ाकर निकला तो हमारे अध्यापक बधाई देने लगे, 'तुमने अच्छी तरह ट्रीट किया।' मेरी इस नीति ने मुझे कक्षा में जमा दिया। फिर कभी लड़कों ने चूँ तक न की। एक चीज की शिकायत मैंने पूरी ट्रेनिंग में दी।

हमें बताया गया था, 'छात्राध्यापक श्रव्य, दृश्य सामग्री का प्रयोग करें।' मैंने इसका उपयोग कभी न किया। अध्यापकों को, जिनसे हम पढ़कर आए थे, इनका प्रयोग करते नहीं देखा था। हमारे चौथी के अध्यापक तो बहुत तेज थे। वे कापियाँ जाँचने घर ले जाते। अगले दिन जब कापियाँ वापिस आतीं सबकी कापियों से दो-एक पन्ने फटे मिलते। एक दिन उनके लड़के की कापी हम लोगों के हाथ लग गई। बाथरूम में जाकर हम पाँच-छह लड़कों ने उसकी जिल्द उतारी तो देखा कि कापी दो-दो, चार-चार पन्नों को एक साथ रखकर सिल दी गई है। दूसरे, जब मैं मानीटर रहा उन दिनों दूसरी क्लासों से कई बार चाक, डैस्टर माँग कर लाना पड़ता था। तब फिर मैं क्यों सांमग्री साथ लेकर जाता?

मेरे मित्र के आगमन ने एक बात याद दिला दी। घर आकर मैंने अपना कार्ड देखा। इसी महीने मुझे रोजगार दिलाने की प्रतिज्ञा वाला सरकारी कार्ड पेश करके सरकार से यह कबूलवाना था कि 'वह मुझे अब तक रोजगार दिलाने में असमर्थ रही है। और अगली फलाँ तारीख तक रोजगार दिलाने का आश्वासन देती है।' पहले कार्ड हर तीसरे महीने पेश करना होता था, फिर सरकार को कुछ बेशर्म बनकर साल-भर के समय की मौहलत माँगनी पड़ी। पहले कोई दिन निश्चित किया जाता था, अब महीना निश्चित किया जाता है—कि फलाँ महीने तक आपको रोजगार दिला दिया जाएगा अन्यथा आप इस महीने में किसी भी दिन आकर हमें लज्जित कर सकते हैं। मेरा अनुमान है कि यदि मैं सरकार की तरफ से रोजगार दिलाने की जिम्मेदारी ढो लेने के बाद निश्चिंत होकर बैठ जाता तो यकीनन अब तक यह लिखने के लिए बचा नहीं रहता।

अगले दिन मैं कार्ड लेकर रोजगार कार्यालय पहुँच गया। मन में अपने मित्र की स्थिति कुलाचें ले रही थी। उसी झोंक में मैं रोजगार अधिकारी जो सरकार की तरफ से झूठे आश्वासन देने के लिए वेतन पर नियुक्त करके बिठाया गया था और अधिक-से-अधिक लोगों से सफलतापूर्वक झूठ बोलकर अपनी कार्यक्षमता का परिचय देता हुआ साल-दर-साल वेतन वृद्धि पता जा रहा था, उससे कुछ प्रश्न कर बैठा।

मुझे अपने सामने रखी कुर्सी पर बिठाकर पहले उसने एक गिलास पानी मँगाया। जब मैं पानी पी चुका तो बोला, 'अब मैं आपको भीतरी बातें बताता हूँ।' आगे कोई बात कहने से पहले उसने पूरी तरह अपने को तैयार करने के लिहाज से खकारा, पीठ को कुछ अकड़ाया फिर इस तरह बैठ पाना संभव न पा अपने अभ्यस्त आसन—मेज पर दोनों हाथ सिकोड़कर रख, कुर्सी को कुछ टेड़ा कर, पेट को मेज के कोने से टिका लिया ताकि गर मैं कोई हरकत करूँ तो पहले तो उसके हाथ ही रोक लें, फिर भी करूँ तो मेज के साथ लगा पेट। मतलब हर सूरत में वह कुर्सी की सुरक्षा बनाए रखना चाहता था।

मैं चुपचाप बैठा उसकी यह तैयारी देखता रहा। इस पूरी तैयारी के बाद अधिकारी की अधिकार भरी आवाज मुझे बेरोजगार जानकर कुछ व्यंग्य-भरे लहजे में कमरे में प्रस्फुटित होने लगी।

आपका प्रश्न है कि आपको अब तक अवसर क्यों नहीं दिया गया जबकि आपसे बाद के लोग लग गए। यही है न?' मेरे उत्तर की प्रतीक्षा किए बिना वे आगे बोले, 'इसके पीछे दो कारण हैं। पहला है 'उनकी ओर से' दूसरा है 'हमारी ओर से।' तो पहले मैं आपको 'उनकी ओर से' जिन्हें लगाना है, का उत्तर दूँ।

आप जानते हैं, मास्टर लगाना होता है स्कूल को। आप शायद खोज-खबर नहीं रखते। कुछ लोग हैं जो रखते हैं। हमें चिट्ठी पहुँचने से पहले उन्हें खबर लग जाती है और वे लग जाते हैं।

या फिर जब हमें चिट्ठी मिलती है उसमें लिखा होता है—फलाँ तारीख तक इतने नाम भेज दें। यदि निश्चित तारीख तक नाम नहीं पहुँचे तो अधिक प्रतीक्षा न कर विद्यार्थियों के हित को सर्वोपरि मानते हुए प्रधानाचार्य अथवा मंत्री जी को यह अधिकार होगा कि वे स्वयं किसी योग्य व्यक्ति को नियुक्त कर लें। और यह संयोग ही कहिए कि निश्चित तिथि के पत्र हमें तिथि निकल जाने के बाद ही मिलते हैं।

कुछ पत्र ऐसे आते हैं जिनमें लिखा होता है, वर्ष 19...से 19...तक के बीच के कुछ नाम भेजें। ऐसे पत्रों का आशय हम खूब समझते हैं। इन वर्षों में ही उनका वह व्यक्ति रहा होता है जिसे रखना है।

कुछ लोग जो यह तरीका नहीं जानते वे लिखते हैं—इस तिथि तक पंजीकृत नाम भेज दें। नाम भेजने पर अगर उनका व्यक्ति न मिला या किसी व्यक्ति को

वे अपना न बना सके तो दूसरा पत्र आता है—चयन समिति ने साक्षात्कार के लिए आए प्रत्याशियों में से किसी को योग्य नहीं पाया अतः इस तिथि तक के और नाम भेजें। ऐसे व्यक्ति तब तक नाम मंगाते रहते हैं जब तक उनके चहेते प्रत्याशी का नाम न पहुँच जाए या वे किसी को अपना व्यक्ति न बना लें।

यह तो हुआ 'उनकी ओर से'। अब 'हमारी ओर से' भी सुन लीजिए।

हमें इस सबके बावजूद बहुत से पत्र ऐसे मिल जाते हैं, जिन पर कार्यवाही करनी पड़ जाती है। तब हम पुराने लोगों के नाम देते हैं। कई बार इनमें से बहुत से कम योग्यता वाले नाम भी चले जाते हैं क्योंकि कार्ड पर इतनी तारीखें पड़ चुकी होती हैं कि प्रतिशतों का कालम ढक जाता है। आप कह सकते हैं कि फिर हम नए प्रतिभाशाली लोगों को मौका क्यों नहीं देते। पर इसके पीछे हमारी कुछ धारणाएँ हैं।

एक तो जो पहले आया उसे पहले अवसर देना होता है।

दूसरा, नया लड़का जो कल तक पढ़ता रहा आज ही पढ़ाने पहुँच जाए तो चंद्रशेखर आजाद के बारे में पढ़ाते समय बगावत ला सकता है।

तीसरे, जिसे बिना प्रतीक्षा किए कुछ मिल जाए वह उस चीज का मूल्य नहीं समझता। इसका बहुत ताजा उदाहरण हमारी पिछली सरकार है।

चौथे, नए छोकरे फैशन परस्त होते हैं। वे लड़कों में इसकी आदत डाल सकते हैं जो अभिभावकों पर एक वज्रपात होगा। इसके विपरीत पुराने आदमी में कई गुण आ जाते हैं।

एक, तो वह राणा प्रताप भी पढ़ाएगा तो लगेगा किस्सा-गोई की बात कह रहा है।

दूसरे, सुदामा के चावल पढ़ाएगा तो अच्छी तरह व्याख्या कर सकेगा। आज बजाय आजाद को समझने के सुदामा समझना देश के भविष्य के लिए आवश्यक है।

तीसरे, वह जायसी, रसखान तक को पढ़ाते समय अपनी पुरानी पड़ गई शादी को, जो बेकारी के दिनों में होने की वजह से नाकाम भी रही होगी, याद रखेगा। इसलिए इतना रस-विभोर न करेगा कि लड़के सड़क चलती कन्याओं के साथ आँखें चार करें।

चौथे, छात्रों को उसका पहरावा, व्यक्तित्व सात्विक जीवन अपनाने के लिए प्रेरित करेगा क्योंकि उसका पहरावा और व्यक्तित्व काफी दिनों तक बेरोजगार रहने के कारण काफी सादा हो चुका होगा जो विद्यार्थियों के लिए एक सही आदर्श उपस्थित करेगा।

पाँचवे, उससे किसी प्रकार के परिवर्तन या विद्रोह की आशंका नहीं रहती।

छठे, ट्रेनिंग में जो ऊल-जलूल तरीके सिखाए जाते हैं उन्हें तब तक वह भूल

चुका होगा इसलिए अपने देश की प्राचीन पद्धति का अनुसरण कर छात्रों को विद्या-ज्ञान देगा।

'हमारी और उनकी ओर से पूरी सतर्कता बरतने के बावजूद कई बार बड़ी मुसीबत भी आ जाती है।'

मैं अब तक बेवकूफ की तरह बैठा उनके मूल्यांकन के मानदंड सुन रहा था। उनका औचित्य मैं अब तक न समझ पाया था हालाँकि यह बात भी मुझमें घर नहीं कर पा रही थी कि उनका औचित्य है। तभी यह सुनकर कि इतनी सावधानी के बाद भी वे मुसीबत में फँस जाते हैं, मैं चुप न रह सका। वह भी मेरी तरफ ऐसे देख रहे थे मानो मैंने कुंभकर्ण को जगाने का अपराध किया हो। मैंने बड़ी अनुनय से उनसे कहा, 'कृपा करके वह भी बता दीजिए।'

मुस्कुराते हुए, जो आगे चरम तक पहुँचते-पहुँचते ऊँघने में परिवर्तित हो गई, वह बोले, 'कई बार हमें पत्र मिलता है जिसमें किसी नए विषय के लिए अध्यापक माँगा जाता है। विषय अब चला, हमारे पास नाम पहले के, कहाँ से भेजें? और कई बार ऐसा होता है कि हमसे नाम माँगे गए। हमने पुरानों को मौका देने के लिए उनके नाम भेज दिए। वहाँ से सभी नाम वापस भेजते हुए पत्र आता है—खेद है कि जितने नाम भेजे गए उनमें सभी ने पुराने गणित को पढ़ा है। अभी इस वर्ष से सरकारी पाठ्यसमिति ने नया गणित लगा दिया है। इस कारण इनमें से अध्यापक का चयन नहीं किया जा सका। कृपया नए गणित के लिए नाम भेजें।'

अपनी बात पर खुद ही कुछ देर मुँह नीचा किए मुस्कराते रहने के बाद जब उन्होंने गर्दन ऊपर उठाई, मैं कमरे से बाहर आ चुका था। कार्ड की तरफ देखकर मुझे उनकी भीतरी बातें याद आ गईं और मैं मन-ही-मन सोचता रहा कि मूल्यांकन की इतनी बड़ी प्रक्रिया से जूझने की और पिटने की सामर्थ्य जिस दिन मुझमें आ जाएगी उस दिन मैं अवश्य मास्टर बनने के लिए कोशिश शुरू कर दूँगा।

शिक्षा आयोग एक अंतरिम रिपोर्ट

आजादी के बाद जो घटनाएँ बहुतायत में हुई हैं उनमें सर्वोपरि घटना है आयोग गठन अर्थात कमीशन। जो हुआ उस पर कमीशन, जो नहीं हुआ उस पर कमीशन और जो होते-होते रुक गया उस पर कमीशन; और जो रोकते-रोकते हो गया उस पर भी कमीशन।

यों सामान्य बोलचाल में कमीशन बहुत हल्का अर्थ ले चुका है। टुच्चापन, बेईमानी की गुंजाइश, सस्तेपन के प्रति रुझान। यही भावनाएँ कमीशन के सामान्य अर्थ के पीछे काम करती हैं। मैं जिस अर्थ में कमीशन शब्द का प्रयोग कर रहा हूँ, मुझे डर है कहीं आप अपने पूर्वाग्रह के कारण उसे भी इतना निम्नस्तरीय न मान बैठें, इसलिए मैं अब आयोग शब्द का प्रयोग करूँगा।

जब जन-सामान्य को भुलावे में रखना हो तो हिंदी के ये गूढ़ शब्द बड़े काम आते हैं। अभी पिछले दिनों आयोग का योग भी काफी घटा-बढ़ा है इसलिए संभव है आप इसे भी भेदभरी नजर से देखें, पर मैं लाचार हूँ, और कोई शब्द प्रयोग नहीं कर सकता।

हालाँकि देश में आजादी के बाद और भी चीजें बढ़ी हैं जैसे जनसंख्या, महँगाई, बेईमानी, अराजकता, असुरक्षा, अव्यवस्था। पर इनका स्तर उठता, गिरता रहा है। इन पर रोक लगाने, बढ़ाने में लोग लगे हुए हैं। इसलिए ये आयोग की तरह फल-फूल नहीं पाईं। यों भी इनका जब फूल खिलकर सामने आता है तो उसमें से भी एक आयोग प्रकट होता है और वह आयोग इनका फल खा लेता है।

इन सब स्थायी-अस्थायी महत्व की चीजों के अलावा एक चीज जो इस तरह बढ़ी कि बढ़ती ही चली गई, सिवाय स्तर को छोड़कर और किसी पहलू से नहीं घटी, वह है शिक्षा। इसके फूल खिले, उनमें से आयोग निकले। कभी कोठारी आयोग, कभी जाकिर हुसेन आयोग। कभी कोई आयोग और कभी कोई आयोग। इन्होंने इसका फल खाया, पर उसे पचाया नहीं। वमन कर दिया और वह वमन विस्तृत व अंतरिम रिपोर्टों के रूप में आज भी सुरक्षित है।

तो जैसाकि मैंने बताया, यह शिक्षा का क्षेत्र विकसित होता ही गया। इसके

एक सूखे फूल से भी एक आयोग प्रकट हुआ। उसे जो फल खाने को मिला उसका भी वमन हुआ। वह वमन अंतरिम रिपोर्ट का रूप धारण कर रिकॉर्डरूम में जाते-जाते मेरे हाथ लग गया। वही मैं ज्यों-का-त्यों यहाँ दे रहा हूँ—

सबसे पहले तो यह आयोग सरकार से सिफारिश करना चाहेगा कि इसे कोई नाम न दिया जाए। इसे मात्र शिक्षा आयोग घोषित किया जाए। किसी व्यक्ति विशेष के नाम को प्रमुखता देने पर यह शंका करने का अवसर मिल जाता है कि इसमें दिए गए सुझावों पर उस व्यक्ति विशेष का रुझान अधिक है। यह आयोग जिन तथ्यों को उद्घाटित कर रहा है वे किसी भी तरह व्यक्तिगत नहीं हैं, वे सार्वजनिक हैं और आयोग के सभी सदस्यों ने सामूहिक रूप से उन्हें उद्घाटित किया है। हम आशा करते हैं कि जनता और सरकार भी इन्हें सर्व सम्मति से स्वीकार करेगी।

इस आयोग की पृष्ठभूमि जैसाकि सरकार को ज्ञात है 1977 में आए परीक्षा परिणाम हैं। हालाँकि तब परीक्षा परिणामों की गिरावट को तूल नहीं दिया गया था। जनता को यह दीगर बात अखबारों के जरिए अच्छी तरह बतला दी गई थी कि अठारह महीने की आपातकालीन परिस्थितियों का परिणाम यही होना था। पर सरकार मात्र इतने से ही तो संतुष्ट नहीं रह सकती थी न। इसलिए इस आयोग का गठन किया गया और जब इतिहास में पहली बार कुल पंद्रह दिन में आयोग के गठन का निर्णय ले लिया गया तो आयोग को भी शर्म आनी स्वाभाविक थी। इसीलिए आयोग ने अपनी कार्यवाही मात्र एक वर्ष में पूरी कर ली। आयोग को यह बहुत बाद में जाकर पता लगा कि वे दिन आयोग बनाओ पखवाड़ा के दिन थे वरना इतनी जल्दी आयोग तो क्या आयोग की फाइल तक नहीं बननी थी। पर तब तक आयोग अपनी कार्यवाही पूरी कर चुका था। समस्त रिपोर्ट जिस विभाग को प्रकाशित करनी थी वह प्रकाशित कर चुका था। इसीलिए इसे तुरंत सौंप दिया गया। अस्तु!

देश में अन्य क्षेत्रों की तरह इस शिक्षा के क्षेत्र में भी सरकारी धन और जन का भारी मात्रा में अपव्यय हो रहा है। इसे रोकने के उपायों और कारणों की खोज के लिए इस आयोग का गठन किया गया। आयोग प्रारंभ में ही सरकार का धन्यवाद करता है कि उसने मन के अपव्यय की खोज करने का भार आयोग पर नहीं सौंपा चूँकि सरकार स्वयं में आश्वस्त थी और आयोग ने भी अपना कार्यक्षेत्र न होने के बाद भी यदा-कदा सर्वेक्षण करने पर यही पाया कि इस क्षेत्र में मन का अपव्यय तिनके के बराबर भी नहीं हो रहा है।

जैसाकि प्रारंभिक पृष्ठों पर बताया गया है आयोग का गठन परीक्षा परिणाम निकल जाने के बाद किया गया। आयोग का कार्यक्षेत्र स्कूल शिक्षा न रखकर मात्र महाविद्यालय शिक्षाजगत् निश्चित किया गया जहाँ ग्रीष्मावकाश हो चुका था। इस बात की ताकीद भी आयोग को की गई कि वह अपना कार्य तुरंत प्रारंभ कर दे जिसकी समाचार-पत्रों में यह कहकर आलोचना की गई कि जब छात्र ही अवकाश

पर हैं, शिक्षण कार्य बंद है तब भला आयोग क्या जाँच करेगा, पर सरकार अपने निर्णय पर अडिग रही। और इस दृढ़ निश्चयी सरकार की दूरदर्शिता का लोहा आयोग का प्रत्येक सदस्य स्वीकार करता है। हम आशा करते हैं कि आयोग की रिपोर्ट प्रकाशि होने पर जन-सामान्य भी यह बात स्पष्ट रूप से जान सकेगा कि सरकार ने इतना दूरदर्शी निर्णय लेकर सभी का कितना भला किया है। इससे समय की बचत हुई। कार्य करने में रुचि उत्पन्न हुई, साथ ही रिपोर्ट सर्वतोमुखी बन सकी।

किसी दुश्मन पर धावा बोलने से पहले उसके गढ़ मालूम कर लेना और अचानक हमला कर देना जितना लाभकारी होता है उससे कहीं अधिक लाभकारी ग्रीष्मावकाश में अपना सर्वेक्षण प्रारंभ करने से इस आयोग को हुआ।

जिस-जिस महाविद्यालय की तरफ आयोग के सदस्य मार्च करते हुए सर्वेक्षण करने गए उनकी ध्वस्त हालत देखकर मन-ही-मन चिंतित हुए। हमें लगा कि कोई हमसे पहले ही मोर्चा मार ले गया। अब इन खंडहरों से क्या पता लगाएँ। पर यह हमारी भूल थी। वास्तविक स्थिति उन खंडहरों में प्रवेश करने पर पता लगी। इन महाविद्यालयों को ध्वस्त करने का श्रेय यहाँ पनप रहे देश के भावी कर्णधारों को है। अपने परीक्षाकाल में अध्यापकों द्वारा नकल करने के जन्मसिद्ध अधिकार का हनन किए जाने की भनक मिलते ही उन्होंने अपने पौरुष का परिचय देते हुए इनकी यह दुर्दशा की थी। इस महत्वपूर्ण तथ्य से दो बातें स्पष्ट हुईं। प्रथम तो यह कि सरकार चला रहे नेताओं को अभी दस-पचास वर्ष तक किसी प्रकार के आंदोलन की चिंता नहीं सतानी चाहिए, क्योंकि युवाशक्ति का सदुपयोग यहाँ हो रहा है। दूसरी यह कि देश के विद्यार्थियों में आज भी शारीरिक बल की कमी नहीं आई है। वे आज भी इमारतें तोड़ने, गुरुओं को पददलित करने में समर्थ हैं। इस तथ्य की पुष्टि अध्यापकों के रोज-रोज आ रहे अवकाश प्रार्थना-पत्रों और डॉक्टरी प्रमाण-पत्रों से भी हो गई। अर्थात् ये शिक्षा संस्थान विद्यार्थियों में ज्ञानबल, शरीरबल का विकास कर रहे हैं। जिससे विद्यार्थियों का सर्वांगीण विकास हो रहा है। हालाँकि शरीरबल का विकास करना इनका कार्यक्षेत्र नहीं है, पर सर्वेक्षण से पता लगा कि सभी शिक्षा संस्थाएँ यह कार्य स्वेच्छा से कर रही हैं। और उनके अधिकारियों ने शपथ लेकर व लिखित रूप में यह स्वीकार किया है कि वे इस सेवा-भावना के बदले किसी प्रकार के सरकारी अनुदान की अपेक्षा नहीं करती हैं।

शिक्षा में प्रगति के कारण और उपाय : महाविद्यालय शिक्षा संस्थानों में लड़के-लड़कियों को एक ही स्थान पर विद्याध्ययन का अवसर देने से शिक्षा में क्रांतिकारी प्रगति हुई है। बहुत से ऐसे विद्यार्थी जो और कुछ काम न मिलने पर भी घर बैठना पसंद करते या जिन्हें पढ़-लिखकर भी घर ही बैठना है, वे शायद महाविद्यालयों में न आते। पर को-एजूकेशन प्रथा चलन में होने से उन्हें चक्षु-मैथुन और कहीं-कहीं आठों प्रकार के मैथुन से भी अधिक क्रियाएँ संपन्न करने का अवसर प्राप्त होता

है। इसी उपलब्धि की चाह में ज्यादातर विद्यार्थी अध्ययनरत हैं। महाविद्यालयों की इस शिक्षा प्रथा ने शिक्षा के प्रसार-प्रचार में बड़ा योगदान दिया है जिसके लिए यह आयोग सरकार की ओर से इसका चलन प्रारंभ कराने वाले भविष्य द्रष्टाओं का आभार प्रकट करता है। इससे कई लाभ भी हुए हैं। यथा–

व्यक्तिगत लाभ : विद्यार्थियों को अपनी नाट्य कला प्रदर्शित करने, अपने को साफ-सुथरा रखने, बल-वीर्यशाली रखने और यदा-कदा प्रतिभाशाली बनाए रखने की दिशा में प्रोत्साहन मिलता है। आपस में एक-दूसरे पर छींटा-कसी करने, मन-मुटाव और प्राचीन प्रथा के अनुरूप छीना-झपटी करते रहने से मानसिक, शारीरिक संतुलन बनाए रखने का अवसर मिलता है।

सामाजिक लाभ : बहुत से अभिभावकों को जो सच्चे मायने में रूढ़िवादी हैं, उन्हें तो यहाँ तक लाभ मिलता है कि वे पुत्र या पुत्री की पसंद से ना-खुश रहे आए तो ता-जिंदगी के लिए उनके भार से मुक्ति मिल जाती है। जो कम संस्कारी, कम आधुनिक हैं उन्हें कम-से-कम दहेज से या बदचलन लड़के की शादी संभव न होने पर उसके लिए वधू खोजने की मेहनत से मुक्ति मिल जाती है। शेष भार उन पर तब भी रहता है।

साहित्यिक लाभ : साहित्य को भी इससे लाभ मिलता है–नए-नए प्रसंगों के रूप में। मनगढ़ंत किस्से लिखने की आवश्यकता नहीं रहती। और चूँकि साहित्य समाज का दर्पण है इसलिए यह समाज की ओर से साहित्य को दी गई खुराक मानी जानी चाहिए।

राष्ट्रीय लाभ : सरकार के पास कोर्ट नाम की जो संस्थाएँ हैं, उनमें ऐसे प्रेम-विवाह के युगल जल्दी ही तलाक की अर्जी लिए आ पहुँचते हैं जिनसे इन विभागों को काम मिला रहता है। दूसरे, शादी के बाद व्यक्ति प्रायः प्रौढ़ हो जाता है और उससे किसी तरह के रिवोल्यूशन की आशा करना व्यर्थ है। तीसरे, अधूरी शिक्षा छोड़ने के कारण उस पर और अधिक जन-धन का व्यय नहीं करना पड़ता। चौथे, यदि वह प्रतिभाशाली भी हुआ तो शर्तिया तौर पर विदेश नहीं जाएगा।

इस संबंध में आयोग सरकार से अनुमोदन करना चाहेगा कि सरकार ऐसा नियम बनाए जिससे को-एजूकेशन के ही महाविद्यालय चलाए जा सकें। चूँकि आयोग ने यह लक्ष्य किया है कि जिन महाविद्यालयों में एक लिंगी विद्यार्थी पढ़ रहे हैं उनमें पढ़ाई का स्तर बहुत निम्न है। वहाँ का वात्रावरण विषादपूर्ण है और वहाँ विद्याध्ययन कर रहे देश के भावी कर्णधारों, कर्णधारियों का सर्वांगीण विकास नहीं हो रहा है।

महाविद्यालयों के भवन निर्माण में वैज्ञानिक दृष्टिकोण रखने से भी शिक्षा में प्रगति हुई है। भवन इतने बड़े होते हैं कि कौन कहाँ बैठा प्रेम वार्ताएँ कर रहा है, कहाँ दुष्यंत गंधर्व विवाह के बाद की क्रिया में तल्लीन हैं, कहाँ रुक्मणि हरण की योजनाएँ बनाई जा रही हैं, कहाँ प्रिंसिपल को वाटर लू का माहौल दिया जा रहा

है, और कहाँ चुनाव के समय विपक्षियों से प्राप्त अनुदान का बँटवारा हो रहा है—आसानी से पता नहीं लग सकता। भवनों का प्रांगण बड़ा होने से विद्यार्थी जब चाहें वे सरकारी बसें जिन्हें सड़कों पर मात्र चलते हुए देखा जा सकता है, जिन्हें स्थिर देखने के लिए जन-समुदाय प्रतीक्षारत रहता है, उन्हें विद्यार्थी यहाँ लाकर खड़ी कर देते हैं और तब विद्यार्थी, अध्यापक, कर्मचारी और सड़कों से गुजर रहा जन-समुदाय उन सरकारी गतिमान वाहनों को स्थिर मुद्रा में इत्मीनान से देख पाता है। कभी-कभी विद्यार्थी उनके अवयवों के निर्माण-स्थल की जानकारी के लिए निकाल भी लेते हैं। और यदा-कदा विदेशी उपकरणों से बने वाहन को देश-प्रेम के कारण भस्म भी कर देते हैं। ये ऋषि तुल्य विद्यार्थी आदर के पात्र हैं।

भवन निर्माण के प्रति भी यह आयोग सरकार का ध्यान आकर्षित करना चाहेगा। भवन शहर से कुछ हटकर बनाए जाएँ जिससे गली-मौहल्ले के व्यक्ति द्वारा देख लिए जाने का खतरा भी टल सके। निश्चिंत मन अधिक कार्यकुशल होता है। भवन और भी ज्यादा टेढ़े-मेढ़े व गलियारों, कोठरियों, गुफाओं, कंदराओं से युक्त बनाए जाएँ जो अधिक उपयोगी और सुफलदायक सिद्ध होंगे। भवन को बनाते समय आसपास का भी ध्यान रखा जाए। भवन के आसपास नाई की दुकान अवश्य हो जिसमें जा-जाकर विद्यार्थी आदमकद दर्पण में अपना चेहरा बार-बार देख सकें। अपनी प्रेमिका की इच्छानुसार उसी समय अपना मुंडन संस्कार करवा सकें। भवन के पास ही सिगरेट की दुकान भी जरूर हो जिससे वे स्वयं को जलाकर धुआँ छोड़ सकें। एक रेडीमेड कपड़े और एक डॉक्टर की दुकान के अतिरिक्त एक डार्क रूम कम स्वल्पाहार गृह अवश्य होना चाहिए।

नकल करना विद्यार्थियों का जन्मसिद्ध अधिकार है। वह इस तरह कि वे स्वयं उनके माता-पिता द्वारा अपने पूर्वजों की नकल का परिणाम अपने को मानते हैं। नकल न करने देने वाले अध्यापकों और महाविद्यालयों की एक झलक आयोग ने अपनी रिपोर्ट के प्रारंभिक पृष्ठों पर दी है। नकल करने की अलिखित छूट दी जाए यह आयोग की विशेष सिफारिश है। चूँकि हमारे यहाँ जो विद्यार्थी प्रतिभाशाली होते हैं वे अव्वल तो नकल करते ही नहीं हैं, दूसरे, वे डिग्री लेते ही विदेश चले जाते हैं। फिर देश का भार इन्हीं नकलचियों के कंधों पर आता है। ऐसे में इन्हें असंतुष्ट करना उचित नहीं है। कल को अगर यही विपक्षियों से मिल गए जो पहले ही इस मुद्दे को तूल दे रहे हैं कि 'नकल करना संविधान में नागरिक अधिकार बना दिया जाए' तो बड़ी फजीहत होगी। लिहाजा सरकार को चाहिए कि वह समय रहते इस दिशा में एक अलिखित समझौता विद्यार्थी वर्ग से कर ले।

इसके अतिरिक्त शिक्षा प्रसार के कुछ और भी कारण हैं जैसे चुनाव होना। इससे भी बड़ा सौहार्दपूर्ण वातावरण तैयार हो जाता है। सभी को किसी-न-किसी पार्टी से रुपया मिलता है और ये काफी दिनों तक ऐश करते हैं। स्वभावतः दो गुट

हो जाते हैं। हर कक्षा में ये गुट एक दूसरे की काट करते हैं। एक कहता है पढ़ना है, दूसरा कहता है नहीं पढ़ना। दूसरा कहता है पढ़ना है तो पहला कहता है नहीं पढ़ना। इससे अध्यापक को बहुत सुख मिलता है और वह उपयुक्त समय पर अपना संचित ज्ञान भंडार वमन करने के लिए रुका रहता है। संयोग से ऐसा अवसर कभी नहीं आता और परिणामस्वरूप अध्यापक अवकाश प्राप्ति के समय तक उन्हीं बातों का ज्ञाता बना रहता है जो कार्य भार संभालते समय उसके मस्तिष्क में थीं। और कार्यभार सौंपने के साथ-साथ वह विदाई समारोह में रोकर, हँसकर उसे उलीच जाता है।

लंबे अवकाश भी इस दिशा में कारगर साबित हुए हैं। यदि लंबे अवकाश न हों तो साहित्यिक किस्म के प्राणी तैयार नहीं हो सकेंगे। लंबे अवकाश की विरह बेला में ही ये अपने उद्‌गार कागजों पर उँड़ेलते हैं। बाद में जो लिखित रूप में इन्हें गंतव्य तक पहुँचाते हैं वे गद्यकार हो जाते हैं और जो पूरी नाटकीय मुद्रा के साथ बयान करते हैं वे नाटककार। जो दूसरों के उद्‌गारों का सार-सत्व (अपने लिए ऐसा अवसर न प्राप्त हो पाने के कारण) पहुँचाने का काम अपने सिर ले लेते हैं वे आलोचक और निबंधकार तथा जो मन में रखे रहते हैं वे कवि हो जाते हैं। और जिन्हें इनका पता लग जाता है वे अपनी हसरत पूरी न कर पाने की वजह से इनका मजाक बनाते फिरते हैं, इसीलिए वे परवर्ती काल में व्यंग्यकार के नाम से कुख्यात होते हैं।

आयोग की यह भी सिफारिश है कि हर खूबसूरत लड़की को महाविद्यालय में अवश्य विद्याध्ययन का अवसर देना चाहिए। आयोग ने यह भी लक्ष्य किया है कि संस्कृत महाविद्यालयों में भी बालिकाओं द्वारा विद्या ज्ञान प्राप्त करने के लिए प्रवेश पाने से उन विद्यालयों की भी शिक्षा, रहन-सहन और संख्या में वृद्धि हुई है।

संस्कृत के प्रसंग में ही आयोग को एक और ऐतिहासिक तथ्य ज्ञात हुआ। प्राचीन काल में विद्यार्थी के लक्षणों का मापदंड कुछ इस प्रकार था :

'काक चेष्टा, वको ध्यानम्, श्वाननिद्रा तथैव च।
ब्रह्मचारी, गृह त्यागी, विद्यार्थी पंच लक्षणम्।।

ये पाँचों लक्षण आज के विद्यार्थियों में इस रूप में विद्यमान हैं :

काक चेष्टा : कौए की तरह चेष्टा। कोई और झपटे इससे पहले स्वयं सहपाठिनी बालिका पर झपट पड़ना।

वको ध्यानम् : बगुले की तरह ध्यान। कक्षा में अध्यापक पढ़ाता रहता है, विद्यार्थी फिल्मी पत्रिका या जासूसी उपन्यास पढ़ने में दत्तचित्त रहता है। जहाँ कहीं अध्यापक ने कोई महत्वपूर्ण बात कही (जो अक्सर कम ही कही जाती है) उसे तुरंत कागज पर लिख लिया।

श्वान निद्रा : कुत्ते की तरह नींद। बड़े इत्मीनान से सोते हुए भी जैसे कुत्ते को यह झट पता लग जाता है कि कोई आ रहा है वैसे ही विद्यार्थी को आभास

हो जाता है कि उसकी तरफ किसी महपाठिनी की नजर है। वह झट से आँखें खोल मुँह फिराकर मुस्कुराने लगता है।

ब्रह्मचारी : इस लक्षण का सही पता परीक्षा और चुनाव के दिनों में लगता है, जो अभी तक के सर्वेक्षण में कहीं भी ह्रासोन्मुखी नहीं पाया गया।

गृह त्यागी : यह लक्षण अब अपना काल परिवर्तित कर चुका है। आज के विद्यार्थी में यह लक्षण विद्याध्ययन समाप्त करने के दौरान प्रेम-विवाह कर लेने की स्थिति में प्रकट होता है, पर इसे भी विद्यार्थी काल की देन समझना चाहिए।

आयोग कुछ अन्य कार्यों की ओर भी सरकार का ध्यान आकर्षित करना चाहता है। ग्रीष्मावकाश या लंबे दिनों के अवकाश और संभव हो तो सभी अवकाश दिवसों में किसी भी विद्यार्थी को महाविद्यालय प्रांगण में आने की मनाही हो। ऐसे दिनों में कुछ मेधावी छात्र पुस्तकालयों में आते हैं। कुछ मनचले छात्र भी आते हैं। मनचलों को अवकाश के दिन आने देना असंवैधानिक रूप से अनैतिक कृत्यों को प्रोत्साहित करना समझा जाए। मेधावी छात्रों के आने को राष्ट्रीय अहित, क्योंकि ये मेधावी छात्र कर्मचारियों को एकचित्त होकर कार्य नहीं करने देते। दूसरे मेधा एकत्र हो जाने पर विदेश चले जाते हैं, फिर प्रायः लौटते नहीं। इन पर व्यय किया गया जन-धन व्यर्थ जाता है। हालाँकि इसमें से धन की क्षति पूर्ति तो इनके द्वारा अपने अभिभावकों को भेजी गई राशि में से कई प्रकार के कर लगाकर सरकार कर लेती है फिर भी कुछ तो शेष रह ही जाता है। दूसरे ये ज्यादा मेघा एकत्र कर लेते हैं जो समावजाद के विपरीत है। तीसरे इनमें से जो मेधावी छात्र यहीं देश में बस जाते हैं वे बाद को आई. ए. एस. अफसर जैसी चीजें बनते हैं। जिनका काम सिवाय प्रत्येक योजना को इतना उलझावदार बना देना जिससे संबंधित मंत्री की समझ में न आए, के अलावा कुछ नहीं होता।

छात्रवृत्ति भी मेधावी छात्रों को नहीं दी जानी चाहिए, क्योंकि उन्हें यह पता ही नहीं होता कि उसे किस तरह सदुपयोग में लाएँ और वे पॉकिट मनी से अतिरिक्त आई इस राशि का अपव्यय पुस्तकें क्रय करने में करते हैं जो संयोग से उनके अपने विषय की होती हैं, इस कारण प्रायः परिवार में अन्य किसी सदस्य के काम नहीं आतीं। इस पुस्तकों का ढेर लग जाने से घर में चूहे पनपते हैं जिन्हें मारने के लिए बिल्लियाँ पाली जाती हैं, जिनके पीछे कुत्ते घूमते हैं जो अपनी जाति के समान गुण वाले लोगों को तो कुछ नहीं कहते, उनके साथ तो जाति भाई की तरह पेश आते हैं मगर शरीफ आदमियों पर भूँकते हैं। इन छात्रों के बजाए छात्रवृत्तियाँ उन्हें देनी चाहिए जो चुनाव के समय विपक्ष की ओर जा रहे हों। जिन्हें दीन-दुनिया का पता है और जो सार्वजनिक रूप से उसका सदुपयोग फिल्में देखकर, नशा करके कर सकें। इन मदों में खर्च किया गया रुपया ज्यादातर लौटकर सरकार के पास पहुँचता है। अध्यापकों की नियुक्ति से आयोग पूरी तरह संतुष्ट है।

अंत में यह आयोग जो सरकार के अनुरोध पर सरकार की तैंतीस लाख निर्मूल्य राशि का व्यय करके देश के महानतम पचपन विद्वानों की अमूल्य सेवाओं को प्राप्त कर इस अंतरिम रिपोर्ट के अतिरिक्त किसी भी विश्वविद्यालय की सर्वाधिक बिक्री वाली पाठ्य-पुस्तक के लिए प्रयोग में आ सकने योग्य कागज से कहीं अधिकं कागज पर अपनी विस्तृत रिपोर्ट भी सरकार को दे चुका है, सरकार को यह सुझाव देता है कि यदि सरकार आयोग के सदस्यों की सेवाओं से उऋण होना चाहे तो अपनी परंपरानुसार आयोग के सभी सदस्यों के बिल तत्काल पास करने के साथ-साथ उन्हें सम्मानजनक पद देकर यह ऋण उतार सकती है। आयोग को पूरा विश्वास है कि सरकार यह सुझाव अवश्य स्वीकार कर रही है। हम सभी सदस्य सरकार के निर्णय की प्रतीक्षा करेंगे।

एक प्रौढ़ कक्षा

पात्र परिचय

केशवचंद : अध्यापक (उम्र 22 वर्ष)
भैरोसिंह : गाँव का सरपंच
फूलचंद : गाँव का बनिया (केशवचंद का पिता)
शिवराज : गाँव का एक किसान
नंदू : गाँव का लुहार
रामसिंह : गाँव का एक किसान (कुछ हँसमुख स्वभाव का)
सभी की उम्र पैंतालीस से ऊपर
सीताराम : एक अन्य किसान (ग्राम पंचायत का पंच)
कन्हैया : एक अन्य किसान (ग्राम पंचायत का पंच)
अनेकसिंह : एक अन्य किसान (बनिए का देनदार)
समूह : चार अन्य किसान

(एक बड़ा-सा साफ-सुथरा मैदान, जिसके किनारे पर पीपल का बूढ़ा पेड़ है। उस पर कील ठोक कर श्यामपट्ट टाँगा गया है। श्यामपट्ट पर छह अक्षर—अ, आ, इ, ई, उ, ऊ, लिखे हैं। पास में एक स्टूल रखा है। उस पर एक लालटेन है। लालटेन के शीशे पर बड़े-बड़े अक्षरों में लिखा है : श्री सिद्धपुर पंचायती लालटेन। इससे एक तरफ का प्रकाश बिल्कुल बंद है। स्टूल के पास ही जमीन पर एक रजिस्टर रखा है। एक व्यक्ति जो मास्टर है, सामने श्यामपट्ट को अच्छी तरह हिला-डुलाकर देख रहा है। उसके ठीक सामने बारह आदमियों की दो कतारें हैं। सर्दी के दिन होने से सामने बैठे बारहों प्रौढ़ विद्यार्थी रजाइयाँ बदन से इस तरह लपेटकर बैठे हैं कि वे दूर से रजाइयाँ ही नजर आती हैं। लालटेन के इकतरफा उजाले को पास लाकर देखने पर पता चलता है रजाई के बाहर नरमुंड भी है।)

केशव : (रजिस्टर खोलते हुए) मैं आपका नाम बोलूँगा। कृपया अपनी-अपनी उपस्थिति सूचित कीजिएगा। श्री भैरोंसिंह जी।

भैरोसिंह : हाजिर हैं।

केशव : श्री फूलचंद जी।

फूलचंद : उपस्थित हूँ।

केशव : श्री शिवराज जी।

शिवराज : जी हुजूर।

केशव : श्री नंदू जी।

नंदू : अरे ये लाट साहब, हमने कल भी कहा था अपने बाप का नाम भले लेना, पर हमारा नाम मत लेना, हाँ। (कहकर इधर-उधर देखता है।)

रामसिंह : ठीक कहते हो भैया। देखो तो हमारे सामने पैदा हुआ और लगा अपने बाप-दादा की उम्र के लोगों के नाम लेने।

नंदू : अरे यही विद्या सीखी है तुमने।

केशव : देखिए श्री नंदू जी।

नंदू : (केशव की बात काटकर) अरे फिर नंदू। देखो किशुआ, हम बताए दे रहे हैं गर अबकी बार नाम लिया तो हमसे बुरा कोई नहीं होगा हाँ!

भैरोंसिंह : ए नंदू, चुप हो जाओ। तुम्हारे नाम के आगे श्री और पीछे जी लगा रहा है। इतना आदर दे रहा है तुम्हें। फिर तुम्हारा गुरु है।

सीताराम : सो तो सरपंच जी ठीक है। गुरु है और जो है सो है, विद्या दान महादान भी होता है। पर देखना तो चाहिए बाप-दादा...

केशव : देखिए, आप सब शांत हो जाइए। आपस में बातें मत कीजिए। मैं आप लोगों को एक-एक नंबर देता हूँ। कल से उसी नंबर पर हाजिरी दिया कीजिए।

नंदू : और लो माते। हम कोई कैदी हैं जो ये हमें नंबर देगा।

भैरोंसिंह : नहीं भई, नंबर नहीं। तुम दस नंबरी बना दोगे किसी को।

फूलचंद : सरपंच जी, नंबर में कोई बुराई नहीं। चलो, दस नंबर मेरा रहा।

रामसिंह : तुम तो बानिया हो। पहले ही दस नंबरी हो। (कहकर हँसने लगता है।)

फूलचंद : देखा सरपंच। ये तुम्हारे देखते-देखते मेरी तौहीन कर रहा है। अब मैं यहाँ नहीं रुक सकता। (उठकर चल देता है)

भैरोंसिंह : अरे सुनो तो, ये फूलचंद, अरे रुको तो। (कुछ देर उसे जाता हुआ देखकर) चला गया। (केशव की ओर मुखातिब होकर) क्यों रे किसुआ, तेरा बाप तेरी शादी भी करेगा या तू हम बूढ़ों को ही पढ़ाएगा।

केशव : (कुछ शर्माते हुए, मुस्कुराहट चेहरे पर लिए) आप लोग केवल पढ़ाई की बातें कीजिए।

भैरोंसिंह : अरे हाँ, अच्छी याद दिलाई तूने। क्यों रे किस्सू, तू पक्का हो गया कि एकाध चक्कर और काटना पड़ेगा कलक्टर (इंस्पेक्टर) के कोर्ट का।

कन्हैया : सरपंच जी, आपकी इजाजत हो तो मैं यह खत किस्सू से पढ़वा लूँ।

भैरोंसिंह : कौन सा खत?

कन्हैया : आपकी दया से एक लड़के वालों ने मेरी बिटिया के बाबत भेजा है।

भैरोंसिंह : अरे कुछ उलटा-सीधा लिखा होगा। तू इससे मत पढ़वा। इसके बाप को नहीं जानता। ढिंढोरा पीट देगा।

रामसिंह : ऐसी बात न कहो सरपंच जी। गुरु बहुत बड़ा पद होता है। कहा है रमायन में।

गुरु गोविन्द दोनों खड़े काके लागूँ पाँव।
बलिहारी गुरु आपने जो गोविंद दियो बताए।।

सामूहिक स्वरः सो तो है ही।

कन्हैया : सरपंच जी, मेरा मन तो उतावला हो रहा है। अब चाहे जो हो, जग जाहिर हो जाए तो ठीक है। (भैरोंसिंह को खत पकड़ा देता है।)

भैरोंसिंह : (खत केशव की ओर देता है।) ले बेटा, तेरी शादी की बात करते ही इसे अपनी लड़की याद आ गई। जरा पढ़ दे।

केशव : (खत खोलकर लालटेन के पास लाता है) सिद्ध श्री रामजी सहाय करें। सिद्ध श्री कार्तिक वदी अष्टमी को धौलपुर ग्राम से श्री अहीर कपूरीसिंह, मलकासिंह, सिरनामसिंह, भैरोंसिंह, लाखनसिंह, कृपालसिंह, मेवासिंह, प्रतापसिंह, गजराजसिंह की जोग लिखी सिद्धपुर निवासी अहीर अनेकसिंह, सरपंच भैरोंसिंह, रामसिंह, सीताराम, मनहरसिंह, शिवराजसिंह और सब बाल गोपालन को राम-राम पहुँचे। हमारे बामन महाराज ने मिती फागुन पंचम को हमारे बड़कू के विवाह योग्य समय बताया है सो आप सब लोगन से राम जी की इच्छा से यह विनती है कि समय रहते दर्शन दें और सब खुलासा कर लें। श्री राम जी सहाय करें। (चिट्ठी वापस देते हुए) तो अब आप लोग मेरी तरफ ध्यान दें।

रामसिंह : (उसके सामने लकड़ियों का ढेर पड़ा हुआ है। स्टूल पर रखी लालटेन

उठाते हुए) अरे क्या ध्यान दें किशुआ। (हँसकर) वही रोज-रोज एक पाठ। छोटे अ के कुछ नहीं, बड़े आ के डंडा। छोटी इ के कुछ नहीं, बड़ी ई के चुटिया। छोटे उ के कुछ नहीं, बड़े ऊ के पूँछ। (कहकर जोर से हँसने लगता है, लालटेन का ढक्कन खोलकर सारा तेल लकड़ियों पर डाल देता है।)

केशव : अरे यह क्या कर रहे हैं आप? (केशव की बात पर कोई ध्यान नहीं देता। वह कुछ देर उनकी तरफ देखता है फिर चुपचाप श्यामपट्ट उतारकर लपेटने लगता है।)

भैरोंसिंह : क्यों रे कन्हैया! कब जाएगा लगुन लेकर?

कन्हैया : पंडत जी से मुहूरत पूछूँगा।

रामसिंह : अनेकसिंह, जरा तंबाखू तो बना दे सरपंच जी के वास्ते।

भैरोंसिंह : अरे अनेका चुपचाप क्यों बैठा है?

रामसिंह : (हँसते हुए) बनिए का देनदार है न। (सब हँसने लगते हैं। केशव स्टूल और श्यामपट्ट लेकर मुँह लटकाए चलने लगता है। रामसिंह उसे रोकता है। लालटेन का शीशा उठाकर एक लकड़ी जलाता है और शीशा बंद करके लालटेन केशव के हाथ में दे देता है। केशव फिर चलने लगता है।)

भैरोंसिंह : (केशव को जाता हुआ देखकर जोर से) अरे किशुआ। (केशव रुक जाता है) अपने बाप को भेज दियो आग तापने। कहियो, गुस्सा थूक दे और चला आए।

रामसिंह : (हँसते हुए) और तुम किशुआ बेटा जाकर सो जाना। हम अपना पाठ याद कर रहे हैं।

(केशव के जाते ही सब सामूहिक रूप से गाने लगते हैं।)

सामूहिक स्वर: छोटे अ के कुछ नहीं, बड़े आ के डंडा।
छोटी ई के कुछ नहीं, बड़ी ई के चुटिया।
छोटे उ के कुछ नहीं, बड़े ऊ के पूँछ।
(यही पाठ बार-बार दोहराया-तिहराया जाता है।)

रचना की मार्केटिंग

मान्य श्री संपादक जी,

'नई त्रयी' का ताजा अंक देखा। अब यह कहने में कोई अतिशयोक्ति नहीं रही कि साहित्य की कथा विधा को जीवित रखने में 'त्रयी' का महत्वपूर्ण योगदान है। महत्वपूर्ण ही क्यों, कहना चाहिए अकेली 'त्रयी' है जो इस विधा को मृत होने से बचाए हुए है। मैं तो ऐसा कहता ही हूँ, चाहता हूँ और लोग भी कहें।

इसी अंक को देखिए। शायद अभी तक आपने अपनी व्यस्तताओं के चलते न देखा हो। अब जरूर देखिए। देखकर आपको पता चलेगा कि आप क्या गजब कर गए हैं। आपके साहस, दिलेरी और समय की पकड़ पर आपको दाद, वह जो कलाओं के मामले में दी जाती है, वही देने का मन करता है।

इस अंक में आपने जो अंधारुआ की 'पारदर्शी देह' शीर्षक कहानी प्रकाशित की है, लाजवाब है। भला और कौन संपादक या पत्रिका है ऐसी जो इतनी ज्वलंत समस्या पर इतनी प्रामाणिक और जीवंत कहानी छाप सके? हम हिंदी वाले शर्म, संकोच के मारे जीवन का बहुत कुछ घृणित उद्घाटित नहीं कर पाते। 'त्रयी' ने यह कहानी छापकर हिंदी कथाकारों पर सदियों से लगा यह कलंक पोंछ दिया। बधाई।

एक ही शिकायत है। मैं तो इसे शिकायत ही कहूँगा, आप भले ही सौजन्यतावश इसे मेरी समझ या पाठकीय जागरूकता कहें, वह यह है कि कहानी का शीर्षक पढ़ते ही ऐसा लगा कि कुछ अंग्रेजी पत्र-पत्रिकाओं और उपन्यास-कहानियों में मिलने वाली माँसल-मादकता पढ़ने को मिलेगी, वह सच सिद्ध हुआ। पत्र के साथ एक स्वरचित, अप्रकाशित कहानी संलग्न है।

आपका
आचार्य अल्पज्ञ
1 फरवरी, 95

मान्य संपादक जी,

सबसे पहले तो एक अदना पाठक की बधाई स्वीकार करें। हिंदी कथा जगत में एक सन्नाटे की-सी स्थिति बनी हुई थी। यह कमी तभी से महसूस हो रही थी,

जब से आपके संपादन में निकलने वाली 'मोराक' का प्रकाशन बंद हुआ। अब आपके कुशल संपादन में 'मराल' का पहला अंक प्रकाशित हो ही चुका है। दरअसल यह पत्र मैं तभी लिखना चाहता था, पर चूँकि अंक बहुत मोटा है सो पढ़ने में समय लग गया।

इस अंक की उपलब्धि अंधारुआ की कहानी 'तजुर्बा' रही। इस बीच अंधारुआ की एक कहानी एक 'लघु पत्रिका' में पढ़ने को मिली थी। उसके मुकाबले यह कहानी कहीं अधिक सशक्त और साहसिक लेखन का नमूना है। 'त्रयी' में छपी कहानी में जहाँ पाठक को पहले ही कहानी में क्या होगा, इसका कुछ-कुछ आभास हो जाता है, वहीं इस कहानी में तो पाठक चमत्कृत रह जाता है।

एक बार पुनः आपको और लेखक को बधाई। पत्र के साथ एक लघु उपन्यास संलगन है। यह अभी तक अप्रकाशित है। स्वरचित है। इसे मैं कहीं और नहीं दे रहा हूँ।

आपका
आचार्य अल्पज्ञ
15 फरवरी, 95

मान्य संपादक जी,

आपके संपादन में आई नई पत्रिका का पहला अंक आज ही देखने को मिला। आपकी संपादन प्रतिभा को भला कौन नहीं जानता। उम्मीद है पत्रिका वही पहचान बनाएगी, जो आपके संपादन में 'लिपि' की थी। आपके शहर बदल लेने की खबर मात्र से हिंदी के साहित्यिक हलकों में अँधेरा छा गया था। इस अंक ने न केवल पाठकों को निरुत्साहित होने से बचा लिया, अपितु दोहरी उम्मीदें जगा दीं।

आप तो जानते ही हैं 'लिपि' का प्रकाशन बंद होते ही साहित्य जगत में कैसी अराजकता छा गई थी। इधर 'त्रयी' ने किन्हीं अंधारुआ की एक कहानी प्रकाशित की, जिसमें मजे ले-लेकर यह दर्शाया गया है कि किस तरह तीन तिलंगे अपनी कॉलोनी की महिलाओं का शोषण करते हैं। शोषण तो सिर्फ बहाना मात्र है, दरअसल पाठक जानते हैं कि संपादक और लेखक दोनों अपनी-अपनी विकृतियों को जबरन पाठकों पर थोपने पर आमादा हैं।

बात यहीं रुक जाती तब भी गनीमत थी। ठीक तभी एक और नई पत्रिका सामने आई 'मराल' और इसमें भी वही अंधारुआ अपनी एक और विकृति लेकर हाजिर। यहाँ जो उनकी कहानी है उसमें दर्शाया गया है कि एक पति अपनी पत्नी से अप्राकृतिक क्रिया करता है। बाद में एक नौकर को रख लेता है। उससे भी यही काम लेता है। कुछ दिन बाद उसे पता लगता है कि पत्नी भी नौकर से वही काम लेती है।

बताइए, आप इसे कहानी कहेंगे? आखिर ऐसी कहानियाँ लिखी जाने और छपने की स्थिति क्यों आई, हम खूब जानते हैं। वे जानते हैं कि 'लिपि' तो बंद हो चुकी है। अब तो वे जो गोबर परोस देंगे, पाठकों को वही लेना होगा। अब आपके संपादन में 'समर्थ' का प्रकाशन शुरू हुआ नहीं कि वे पत्रिकाएं खुद-ब-खुद बंद हो जाएँगी। अंक पढ़कर मैं प्रकाशन हेतु अपनी पाठकीय प्रतिक्रिया और 'समर्थ' के लिए एक उपयोगी रचना शीघ्र ही भेजूँगा, निश्िंचत रहें।

पुनश्च : यह प्रतिक्रिया प्रकाशन हेतु नहीं है।

आपका
आचार्य अल्पज्ञ
20 फरवरी, 95

भाई श्री अंधारुआ जी,

आपकी दो कहानियाँ क्रमशः 'त्रयी' और 'मराल' में पढ़ने को मिलीं। आपके रचना कौशल का मैं कायल हो गया हूँ। मेरा अभिवादन स्वीकार करें। आपने सचमुच साहस का काम किया है। उम्मीद है आपकी लेखनी हिंदी के नामर्द हो चुके लेखकों में मर्दानगी का संचार करेगी। और हम पाठकों को, नपुंसक लेखन को पढ़ते रहने से निजात मिलेगी।

आपकी रचनाओं पर एक सजग पाठक के नाते मैंने 'त्रयी' और 'मराल' को प्रतिक्रिया भेज दी है। उम्मीद है कि बहुत शीघ्र आपको पत्रिकाओं के आगामी अंकों में वे प्रतिक्रियाएं पढ़ने को मिलेंगी।

रचनाओं के साथ प्रकाशित आपके परिचय से मालूम हुआ कि आप इस राष्ट्रीय अखबा" से जुड़े हैं। मैं इस अखबार की रीति-नीति का प्रशंसक हूँ। कई बार सोचता था कि आखिर वह कौन-सी प्रतिभा है, जो इसे रचनात्मक सहयोग से उपकृत कर रही है। अखबार का कलेवर, अखबार की प्रस्तुति और अखबार की भूले-बिसरे, नए नवेले लेखकों को तलाश कर मंच देने की, प्रकाश में लाने की प्रवृत्ति ने मुझे विशेष रूप से प्रभावित किया।

मेरी दो कहानियाँ 'अँधेरी रात में न लूटो बरसात में' और 'नाइट बल्ब में दिखने वाले उजले दृश्य' आपके यहाँ प्रकाशन के लिए पड़ी हैं, कृपया उनका उद्धार करें।

आपका
आचार्य अल्पज्ञ
25 फरवरी, 95

पटकथा की कथा

पिछले सप्ताह हमारी मुलाकात एक निर्माता से हो गई। यों हम काफी अर्से से अपनी एक बेजोड़ साहित्यिक कहानी किसी निर्माता को सुनाने के फेर में थे, मगर अफसोस, कोई हमारी बात पर कान ही न देता था। सभी चाहते थे कि कोई 'ढिंशू ढांशू' वाली कहानी हो तो बताओ।

पर इधर जब से भाई अमिताभ के शूटिंग पर घायल होने का हादसा हुआ, सुनते हैं बहुतेरे अभिनेता ढिंशू वाली फिल्में करने से कतराने लगे। और कतराएँ भी क्यों न, यहाँ तो ऐसे-ऐसे तीसमारखाँ पड़े हैं कि अगर हवा का एक जोरदार झोंका आ जाए तो वे बिना पंख उड़ने लगें, लोहे की मेज से टकराना तो बहुत दूर।

खैर, इन हालात में हमारी बन आई। और हम जा पहुँचे एक प्रसिद्ध निर्माता के पास। हमने उन्हें अपनी कहानी सुनानी शुरू की :

''एक गाँव में एक होनहार लड़का रहता था। जब वह गाँव के स्कूल की पढ़ाई पूरी कर चुका तो आगे की तालीम पाने के लिए शहर चला आया। यहाँ आकर उसने मिडिल स्कूल में प्रवेश ले लिया।''

''जरा ठहरिए!'' अचानक निर्माता बीच में बोले।

हम चुप हो गए।

उन्होंने कहा, 'ऐसा कीजिए, उसे रेल का सफर करने के बाद एकदम जवान दिखा दीजिए।''

हमने आपत्ति की, ''देखिए साहब, ऐसा कैसे हो सकता है? यह ठीक है कि भारतीय रेलें देर से चलती हैं, धीरे चलती हैं, पर इतनी तो नहीं कि बैठे दस वर्ष का बच्चा और उतरे तो चौबीस वर्ष का जवान हो चुका हो?''

वह बोले, ''खैर, आगे पढ़िए।''

''इधर शहर में पढ़ते-पढ़ते जब वह कॉलिज में आया, तभी उसकी मुलाकात एक ऐसे लड़के से हुई जो काफी अमीर खानदान का था। यह लड़का पढ़ने में भी बहुत होशियार था। इसलिए दोनों में दोस्ती हो गई।''

''ठहरिए।'' निर्माता बोले, ''अमीर बाप के बेटे को पढ़ने में होशियार मत

दिखाइए, क्योंकि हमारे फिल्मी इनवेस्टिगेशन के मुताबिक अमीर बाप के बेटे या तो बदचलन होते हैं, या आवारा, या पढ़ाई में कमजोर। इसलिए वे आगे जाकर स्मगलर बनते हैं। आप चाहें तो हमारे फिल्म उद्योग का सौ वर्ष का इतिहास उठाकर आँकड़े देख सकते हैं। खैर, आगे पढ़िए।''

''इन दोनों मेधावी छात्रों को कॉलिज के सभी लड़के-लड़कियाँ बहुत पसंद करते थे। इनमें से एक पढ़ाकू लड़की उस गरीब और एक पढ़ाकू लड़की उस अमीर लड़के को मन-ही-मन चाहने लगी।''

''फिर ठहरिए!'' निर्माता बोले, ''गलत, बिल्कुल गलत। अमीर बाप के बेटे पढ़ाकू लड़कियों से नहीं, लड़ाकू या नाचने वालियों से प्रेम किया करते हैं। इसलिए दूसरी लड़की को लड़ाकू दिखाइए और बाद में कैबरे डांसर या मुजरे वाली। आगे पढ़िए।''

''जब इन दोनों लड़कों को इस बात का पता चला तो ये और भी ज्यादा मन लगाकर पढ़ने लगे। ताकि उनकी निगाह में अपनी यही छवि बनाए रख सकें। उधर वे लड़कियाँ भी पढ़ाई में मन लगाने लगीं। यानि ये आपस में एक-दूसरे के लिए प्रेरणा के स्रोत बन गए। देखते-ही-देखते कॉलिज का वातावरण बदल गया। जिसे देखो वही पढ़ाई के प्रति संजीदा...''

''ठहरिए।'' निर्माता बोले, फिर कुछ सोचकर बोले, ''अच्छा। यानी सभी लड़के-लड़कियाँ एक-दूसरे से प्यार करने लगे। वाह, यह तो बढ़िया आइडिया है। चलेगा। मैं जरा तुम्हारे शब्दों की वजह से उलझन में फँस गया था। खैर, आगे पढ़िए।''

''पढ़ाई पूरी करके गरीब लड़का नौकरी के लिए कोशिश करने लगा। अमीर लड़का चूँकि उससे काफी प्रभावित था और उसका दोस्त भी था, इसलिए उसी ने इसे अपने पिता की कंपनी में नौकरी दिला दी।''

''बजाय लड़के के यदि आप लड़की के बाप के यहाँ नौकरी करवाएँ तो कहानी में दम आ जाएगा। है न?'' निर्माता उत्साहित होकर बोले।

हमने बताया, ''जी नहीं। दरअसल वह लड़की खुद एक गरीब बाप की बेटी है।''

''तो फिर प्यार क्यों करती है? उस लड़के ने फिर किसी अमीर लड़की से प्यार क्यों नहीं किया?''

''दरअसल, आदमी अपने समान विचार वालों से ही तो दोस्ती करता है न? फिर प्यार करना अमीरों की बपौती तो है नहीं।''

''खैर, आगे पढ़ो।''

''अचानक एक दिन इस लड़के की मुलाकात अपनी सहपाठिनी लड़की से होती है। वह उसे अपने घर बुलाता है। लड़की दूसरे दिन अपने छोटे भाई को साथ लेकर उससे मिलने आती है। उसका घर बहुत छोटा है।''

"ठहरिए!" निर्माता बोले, "घर आलीशान दिखाइए और इस छोटे भाई को नाहक बीच में क्यों घसीट रहे हैं?"

"दरअसल, उस लड़के को जो वेतन मिलता है उससे वह आलीशान घर कैसे ले सकता है भला? और भले घर की लड़कियाँ बिना किसी को साथ लिए कहीं आती-जाती नहीं हैं।" हमने बताया।

"खैर, आगे पढ़िए।" निर्माता कुछ कहते-कहते न कहने का मन बनाते हुए बोले।

"वह लड़की बातों-ही-बातों में उसे बताती है कि दहेज की व्यवस्था न कर पाने से उसके पिता काफी चिंतित रहते हैं। अगले दिन वह लड़का उसके पिता से मिलता है। उनसे कहता है कि, आपकी बेटी से प्रेरणा पाकर मैं इस काबिल हुआ हूँ। अब मैं अपनी 'प्रेरणा' से बिना दहेज विवाह करना चाहता हूँ। इस तरह वह एक आदर्श प्रस्तुत करता है।"

सुनकर निर्माता बोले, "नहीं नहीं, आपको फिल्म तकनीक और दर्शकों की पसंद का जरा भी खयाल नहीं। ऐसा कीजिए जैसे ही वह लड़की उसके घर से लौट रही होती है, उसे गुंडों से उठवा दीजिए। लड़का जब तक उसे बचाने पहुँचे, उसके साथ बलात्कार दिखा दीजिए, फिर लड़का सब को मार भगाए और उस मजबूर लड़की से शादी कर ले। यानी आदर्श भी कायम हो, रोमांच भी बना रहे और दि एंड भी अच्छा हो।"

खैर, अगले दिन निर्माता के कहे मुताबिक हम स्क्रीन प्ले लेकर पहुँचे। उन्होंने उसे सहर्ष स्वीकार कर लिया। पर जैसे ही हमने पारिश्रमिक की बात की, वह बोले, "अमां, काहे का पारिश्रमिक? आपकी बेजोड़ लिटरेरी कहानी तो आप ही के पास सुरक्षित है, यह मुँहतोड़ स्क्रीन प्ले का आइडिया तो हमारे उपजाऊ दिमाग की उपज है। जाइए, जाइए, अपना रास्ता नापिए।"

हर जिस्म मिलेगा अढ़ाई आने

कई रोज से सुन रहे थे कि सागर सरहदी की फिल्म 'बाजार' में जवान जनाना जिस्मों की खरीद-फरोख्त का मसला है। बस, तभी से मुँह में जो पानी आना शुरू हुआ तो गली का नाला, शहर का परनाला बाढ़ के दिनों-सा उफान मारने लगा। एक ही फिल्म में ढेरों जवाँ गदराए जिस्मों की नुमाइश! वाह, शाबाश सरहदी। इसे कहते हैं सच्चा निर्माता, अच्छा निर्माता, वक्त और दर्शकों की नब्ज का जानकार निर्माता। जब पहली ही फिल्म का यह हाल है तो आगे-आगे देखिए होता है क्या...

आखिर एक दोपहर हम सिनेमा की लाइन में जा लगे। अभी हम टिकट खिड़की के पास भी न पहुँचे थे कि हमारे जिगरी दोस्त, हितैषी, भाई हंसराज हमें लाइन में से घसीटकर बाहर निकाल लाए।

बाहर लाकर बोले, ''यार, क्यों अपना समय और रुपया बरबाद करने जा रहे हो। इससे तो अच्छा है इतने समय में कोई बड़ा-सा गुनाह ही कर डालो और जो रुपया तुम इस सिनेमा पर खर्च करने जा रहे थे, उसे किसी मंदिर के दानपात्र में डाल देना ताकि ऊपर वाला तुम्हारे उस गुनाह को माफ कर दे। वरना फिल्म देखने के बाद तुम भी यही कहोगे कि सागर सरहदी ने धोखा दिया।''

फिर वे हमें घसीटते हुए से पार्क तक ले गए। वहाँ इत्मीनान से बिठाया। फिर थोड़ी तैयारी, थोड़े रियाज के बाद फिल्म की कहानी सुनाने लगे।

''एक जंगल में बहुत से बकरे, बकरियाँ और उनके मेमने-मेमनियाँ रहते थे। ज्यादातर बकरे कुछ समय पहले तक राज करते रहे थे मगर लोकतंत्र आ जाने से उनका राज और आमदनी का जरिया चौपट हो गया था। अब समस्या थी पेट कैसे भरें। कल के राजा आज नौकरी-चाकरी या मेहनत-मशक्कत तो करने से रहे थे। यह उनकी शान, आनबान, खानदान वगैरा के खिलाफ था। आखिर बकरियों ने एक ऐसा तरीका ईजाद किया जिस पर अमल करने का नतीजा होता—हल्दी लगे न फिटकरी और रंग भी चोखा आए, यानि घर की शान भी बनी रहे और रोटी-पानी भी मिलता रहे।

''उन बकरियों ने अपनी खूबसूरत मेमनियों का बाजार सजाकर अमीर बकरों

को रिझाना शुरू कर दिया। इस तरह न तो उन्हें काम करना पड़ा न शान में कोई गुस्ताखी हुई क्योंकि यह सब पर्दे के भीतर घर की चारदीवारी में, बकरियों की देखरेख में होता था। बकौल एक शायर के—'रिंद के रिंद रहे हाथ से जन्नत भी न गई...'

"कुछ मेमने-मेमनियाँ ऐसी भी थीं जो बजाय बाजार में सजने के अपने ही हमउम्रों से प्यार का इजहार किया करती थीं। इन गरीबों की इस जुर्रत की सजा भी उन्हें मिलती थी। भला अमीरों के चोंचले पालने का इन्हें क्या हक! फिर भी दिल को बहलाने के लिए उनका यह खयाल अच्छा था।

"एक बार इस जंगल में एक विदेशी भेड़िया आ गया। यहाँ भी उसके कई जंगलात थे जिनकी देखभाल कुछ बकरे किया करते थे। इस भेड़िए के एक नौकर बकरे ने बड़ी खूबसूरत मेमनी फाँस रखी थी। भेड़िए का उस पर दिल आ गया। यों उस भेड़िए को मेमनियों की कमी नहीं थी मगर होता यह था कि उसे जब जरूरत होती किराए पर ले आता था। अब इस मेमनी को देखकर उसे भी एक कौड़ियों में खरीदी, घर बसाऊ, चौबीसों घंटे अपनी मिल्कियत में रहने वाली मेमनी रखने की तलब मची। उसने अपने दिल की बात अपने नौकर बकरे से कही।

"जब से भेड़िए ने इस बकरे को अपने दिल की बात बताई वह चिंता में पड़ गया। कहीं भेड़िया उसकी मेमनी को ही न धर दबोचे और उसे घर से, नौकरी से निकाल दे, इसलिए उसने अपनी मेमनी से कहा कि जल्द-से-जल्द भेड़िए के लिए एक परमानेंट मेमनी का इंतजाम करे। उसकी मेमनी हँसकर बोली, 'यह कौन मुश्किल काम है। इस गरीबों के जंगल में तो एक ढूँढ़ो हजार मिलती हैं, सब की सब अनछुई, कमसिन, खानदानी और इज्जतदार मिलती हैं।'

"चुनांचे एक टीम तैयार की गई। इस टीम में भेड़िया, बकरा, मेमनी के अलावा भेड़िए के दो और मुलाजिम बकरे और एक साहित्यिक किस्म का बकरा शामिल किया गया।

"यह साहित्यिक बकरा कभी-कभी बेसिर-पैर की बातें भी कर जाता था, मगर उन बातों को नजरअंदाज करना लाजिमी था क्योंकि उसके टीम में शामिल रहने से आम बकरे-बकरियों पर इस टीम का खासा रुतबा पड़ता था।

"तो यह टीम जंगल में जा पहुँची। वहाँ खरीदार के आने की खबर फैलते ही हजारों बकरियाँ अपनी बिकाऊ मेमनी लेकर आ पहुँचीं और बोलीं कि जिसे चाहो छाँटो, कीमत दो और लो। मगर भेड़िए को इनमें से कोई पसंद नहीं आई।

"तब जंगल के दलालों को पकड़ा गया। इन दलालों को जंगली समाज में काफी सम्मान दिया जाता था, घर-घर इनकी पहुँच थी। सो उन्होंने बहुत जल्द एक लजीज, गदराई, जवान मेमनी का सौदा करवा दिया। उस मेमनी की माँ अढ़ाई आने में मेमनी बेचने को तैयार हो गई।

"चूंकि उसे नाक और साख का भी खयाल था सो बाकायदा समाजी दस्तूर से भेड़िए का मेमनी के साथ विवाह करवाया गया। इधर जो बिक्री के अढ़ाई आने मिले उससे उसने अपनी दूसरी बदसूरत मेमनी के लिए एक बाँका, छबीला मेमना खरीदा और उनकी भी शादी करवा दी।

"बस, आगे की कहानी बताना फिजूल है क्योंकि वह बिल्कुल फिल्मी है।"

तो इस तरह दूध का दूध और पानी का पानी करके भाई हंसराज तो चले गए मगर हमारे दिल को तब भी तसल्ली नहीं हुई और हम अगले ही शो में सिनेमा देखने जा पहुँचे।

सिनेमा देखकर हमें हंस पर बेसाख्ता गुस्सा आया। हम सीधे उनके घर जा पहुँचे और उनके गरेबाँ में हाथ डालकर पूछा, "तुम तो कहते थे वह जानवरों की कहानी है, पर उसमें तो दो पैरों पर चलने वाले आदमी थे। और तुम जिसे विदेशी बकरा बता रहे हो वह विदेशी नहीं ईरान, इराक, सऊदी अरब और कुवैत होकर वापस अपने मुल्क में लौटा था यानि इसी देश का बाशिंदा था।"

हमारी बात सुनकर हंस हँसा, फिर अपने गिरेबाँ में से हमारा हाथ हटाकर बोला, "तो तुम भी जमीन पर से चार में से दो पैरों को जरा ऊँचाई पर लटकाकर चलने भर से जानवरों को आदमी कहने लगते हो? और रहा उसके विदेशी होने का सवाल, सो मेरे भाई, उसे देशी बताना तो बेचारे फिल्मकार की मजबूरी थी, वरना सरकार फिल्म को पर्दे पर आने की इजाजत देने के बजाय उसी को अंदर कर देने का फरमान जारी कर देती।"

"क्यों?" हमने उन्हें बीच में ही टोका।

"इसलिए कि सरकार कहती–कि जिनके आगे हम भीख का कटोरा लिए खड़े-खड़े वर्षों से चिल्ला रहे हैं–तेल दे दो, तेल दे दो–तुम उन्हीं की कलई खोलकर उन्हें नाराज करना चाहते हो? अरे, उनकी जिस्मानी भूख को मिटाने में तुम्हारा घिस क्या रहा है? बल्कि तुम तो कमा ही रहे हो। देश को भी विदेशी मुद्रा मिल रही है। सस्ता तेल मिल रहा है। उनके मुल्कों में लोगों को रोजगार मिल रहा है।

"बदले में जा रहे हैं चंद गदराए जिस्म। जो अगर उनके आलीशान महलों में न जाते तो यहाँ किसी अँधेरी गंदी गली के सड़ाँध भरे कमरे में टूटे फर्श पर किसी भूखे, तपेदिक के मरीज मजदूर के हाथों मसले जा रहे होते। और फिर जिस्म हैं किनके–कीड़े-मकोड़े की तरह जी रहे गरीबों की बेटियों के न! किसी अमीर या आला अफसरान की नाजुक कली के तो नहीं? तुम्हें तो फख्र होना चाहिए कि कम-से-कम देश की तरक्की में तुम्हारे तन का तो योगदान हुआ। हमारा मुल्क आजादी के तैंतीस वर्ष बाद ही सही एक चीज का निर्यात करने में तो सबसे आगे हुआ।

"इसलिए तुम बजाय उसे विदेशी दिखाने के अपनी फिल्म में यह वाक्य और

जोड़ दो : हमारे यहाँ जिस्मों की कई वेरायटियाँ हैं। हर जिस्म मिलेगा अढ़ाई आने। विशेष सेल के अवसर पर दो जिस्म खरीदने वाले को एक जिस्म मुफ्त। आइए और एशिया की इस सबसे बड़ी जनाना जिस्म मंडी में से मनचाहे जिस्म छाँटिए, चखिए और फेंक दीजिए। जूठन झपटने वालों की हमारे यहाँ कोई कमी नहीं। स्टाक रहते लाभ उठाएँ, बाद में पछताना न पड़े।''

(वैसे स्टाक खत्म होने की कोई उम्मीद नहीं है।)

ढाई दर्जन हिट फिल्मों की कहानी

कल दोपहर जब मैं मूवी जगत के संपादक को अपनी एक नई रचना देने जा रहा था, तब की बात है, मुझे लगा कोई मेरा पीछा कर रहा है। फिल्मी लेखक हूँ। फिल्मी चालाकियाँ मेरे बदन में कूट-कूटकर भरी हुई हैं। मैं गुलाब हाउस के स्टैंड पर बस से उतरा तो, मगर सीधा गुलाब हाउस न जाकर सिगरेट वाले के पास पेड़ की छत्रछाया में जा खड़ा हुआ।

जिस पिछलग्गू से बचने के लिए मैं यहाँ आकर खड़ा हुआ था, वह भी मेरे पास आ पहुँचा। आते ही बोला, "आप पाशा साहब से मिलने जा रहे हैं न?"

मैंने कहा, "हाँ।"

वह बोला, "मैं भी मिलना चाहता हूँ।"

मैंने पूछा, "अभी?"

उसका इरादा जानकर मैं हड़बड़ा गया था, क्योंकि कायदे से एक ही समय में एक ही संपादक को दो-दो लेखक हलाल कर पाएं यह जरा मुश्किल भी है और पत्रकारिता, इंसानियत के भी खिलाफ है।

"हाँ, चाहता तो यही हूँ, पर हिम्मत जवाब दे रही है। ऐसा कीजिए न, आप ही मेरी कहानी भी उन तक पहुँचा दीजिए।" इतना कहने के साथ ही उसने कागजों का एक पुलिंदा मेरे हवाले कर दिया।

मैंने पूछा, "कैसी है?"

"एक नहीं पूरी ढाई दर्जन हिट फिल्में बनाने लायक है। मैंने यह सोचकर इसे लिखा है कि खामखां ढाई दर्जन लेखक एक ही विषय पर सर क्यों खपाएँ। क्यों न मैं अकेला ही उन सबकी तरफ से मेहनत कर डालूँ।"

उसका जवाब सुनकर मैं हैरान रह गया।

मैंने कहा, "अगर मैंने उड़ा ली तो।"

वह मेरी बात सुनकर हँस पड़ा। फिर बोला, "अजी उड़ाई हुई को आप क्या उड़ाएँगे। और फिर आप कोई महान फिल्मी कहानीकार थोड़े ही हैं जो ऐसा आला दर्जे का नेक काम कर गुजरें।"

मैं चकरा गया। मैंने पूछा, "क्या मतलब?"

पर बजाय मेरे प्रश्न का उत्तर देने के वह चलता बना।

अब मैं क्या करता? किसी की अमानत मेरे पास रह गई थी। सोचा, आज घर वापस जाकर इसे पढ़ता हूँ। अगर अच्छी लगी तो मूवी जगत में प्रकाशित करवा दूँगा ताकि बकौल ओरिजनल राइटर के ढाई दर्जन निर्माताओं का भला हो जाए।

चूँकि कहानी मुझे अच्छी लगी (और शायद मूवी जगत के संपादक को भी लगे) सो कहानी का सार आपकी खातिर यहाँ दिया जा रहा है :

रवि एक होनहार युवक था। उसे शशि से बेहंतहा प्यार था। अपने प्यार को परवान चढ़ाने की खातिर वे समय-असमय पेड़ों के इर्द-गिर्द गाने गाकर, समुद्र के किनारे दौड़कर, एक-दूसरे का इंतजार करके अपने प्रेम का इजहार किया करते थे। कुछ दिनों तक प्यार करने के बाद उन्होंने आपस में विवाह कर लिया। शादी के चंद दिनों बाद उनके एक बच्चा हुआ। इस बच्चे के आने से उनका घर-आँगन खुशियों से भर गया। इसके चंद रोज बाद ही एक हादसे में शशि पागल हो गई। रवि ने उसे पागलखाने में भर्ती करवा दिया। शशि को घर में न पाकर बच्चा बार-बार उसे पुकारने लगा। रवि बच्चे का रोना नहीं देख पाता था। पर मजबूर भी था।

एक दिन रवि अपने बच्चे को पागलखाने में ले गया। जब रवि शशि को देखकर लौटा उसका बच्चा एक नर्स को माँ कहकर उससे लिपट आया। रवि ने भी उसे देखा तो वह उस नर्स को अपने बच्चे की खातिर घर ले गया। फिर बच्चे की खातिर उससे शादी कर ली। फिर बच्चे की खातिर उससे भी बेइंतहा प्यार करने लगा। इस प्यार का नतीजा भी वही हुआ यानी नर्स के पेट में गर्भ ठहर गया।

इधर एक और हादसे में शशि का पागलपन ठीक हो गया। वह घर वापस आ गई। घर में देखा कि रवि ने दूसरा विवाह कर लिया है। उसका अपना बच्चा उस दूसरी को माँ समझने लगा है। सो उनका खुशहाल संसार न उजाड़कर वह घर से वापस चली गई।

निर्माताओं के लिए खास हिदायतें : पहली फिल्म बिल्कुल इसी तरह की बन जाने पर बच्चे की जिद पर दूसरी शादी करवाने की जगह बाप की मजबूरी में शादी करवाएँ—फिर अगली फिल्म में दोनों लड़कियाँ हमशक्ल दिखाएँ—फिर पहली लड़की को वापस भेज दें मय उसके बच्चे के क्योंकि दूसरी लड़की उससे सौतेला व्यवहार करती होगी। फिर दूसरी लड़की को वापस भेजें—फिर दोनों लड़कियों को पागल कर दें—फिर दोनों लड़कियों को वापस भेज दें—फिर दोनों लड़कियों को पागल कर दें—फिर दोनों लड़कियां रहने दें (इस पर सेंसर आपत्ति कर सकता है इसलिए एक लड़की की शादी लड़के से कर दें और दूसरी की उसके बाप से), फिर पहली दूसरी को भगा दे—फिर दूसरी माल असबाब लेकर चंपत हो जाए—फिर दूसरी पहली को मार दे—फिर दूसरी को पागलखाने भेज दें—फिर दोनों को किसी गैंग की मेंबर दिखाएँ

जो उस लड़के की जायदाद हड़पने के लिए, उसे तबाह करने के लिए अपने बॉस के इशारे पर प्यार का, पागलपन का नाटक कर रही थीं—फिर एक लड़की को गैंग का सदस्य और दूसरी को सी.आई.डी. दिखाएँ।

अब इस परिपाटी को उलट दें। यानि दो लड़के और एक लड़की। लड़की अमीर बाप की इकलौती। इस उलटन के बाद ऊपर दिए गए तरीके पर एक-एक फिल्म बना लें।

मेरा दावा है कि इतनी फिल्में देखते-देखते एक तो कोई भी दर्शक ऐसा नहीं बचेगा, जो पगला न गया हो। दूसरे सभी हीरो, हीरोइन, डायरेक्टर, प्रोड्यूसर, डिस्ट्रीब्यूटर इस आइडिए पर बनी फिल्मों से लाभ उठा चुके होंगे। इसलिए तब अपने आप यह थीम आउट आफ डेट मान ली जाएगी और इधर तब तक मैं कोई दूसरी पाँच दर्जन हिट फिल्में बनाने लायक थीम 'मूवी जगत' वालों के जरिए भेज दूँगा।

घोषणा : आपको अगर यह कहानी पढ़कर ऐसा लगता हो कि यह आइडिया मैंने कमलेश्वर की कहानी वाली 'दो दिशाएँ' या फिर 'बसेरा' फिल्म से चुराया है तो यह आपका भ्रम है। जैसे कमलेश्वर की कहानी बजाय 'बसेरा' से उड़ाई गई होने के उनकी अपनी ओरिजनल थिंकिंग है, उसी तरह यह मेरे उपजाऊ दिमाग की ताजातरीन उपज है।

कहिए, कैसी लगी कहानी? इसके सर्वाधिकार मेरे पास सुरक्षित हैं और मैं अपनी सुरक्षा बनाए रखने के लिए इस ढाई दर्जन हिट फिल्मों के योग्य कहानी की सभी तरह की सौदेबाजी का अधिकार 'मूजी जगत' के संपादक को दे रहा हूँ। इसलिए सभी पत्राचार इन्हीं से किया जाए। और मैं उम्मीद करता हूँ कि संपादक साहब जिस तरह अन्य लेखकों की रचनाओं का उचित पारिश्रमिक देते हैं उसी तरह मुझे भी निर्माताओं से दिलवा देंगे।

फिल्मों के डाकू

बहुत दिनों से तमन्ना थी कि हम भी डाका डलता हुआ देखें। पर हमारे घर तो क्या मुहल्ले में भी कोई ऐसा लक्ष्मी सपूत नहीं था, जिसे डाकू दर्शन देते। सो सोचा क्यों न यह हसरत हिंदी फिल्में देखकर पूरी कर ली जाए? वहाँ तो सुनते हैं हर दूसरी फिल्म डाकुओं पर बनती है। बस, यह खयाल आते ही हम पहुँच गए एक खूँखार डाकू पर बनी फिल्म देखने। उसी की कहानी आपकी खातिर ज्यों-की-त्यों दे रहे हैं।

परदे पर सूरज दक्षिण दिशा में अस्त होने जा रहा था। अभी सूरज की लालिमा पूरी तरह अँधेरे में तब्दील भी नहीं हुई थी कि सामने पूर्व दिशा की ओर से धूल उड़ती दिखाई दी। धूल के बादल इतने गहरे थे कि देर तक कुछ दिखाई ही नहीं दिया। काफी देर बाद कुछ नरमुंड नजर आए—भयानक, डरावने। इसके थोड़ी देर बाद बालू पर चलते घोड़ों के दौड़ने जैसी टापों की आवाज, कानों को फाड़ती हुई टप टपा-टप, टप, टपाटप, टप टपाटप सुनाई दी।

हम समझ गए कि डाकू चले आ रहे हैं। थोड़ी देर बाद देखा हमारे अलावा कच्ची दीवार की ओट से कई सिपाहियों की आँखें भी डाकुओं को देख रही हैं। डाकू पास आ गए। आँख से आँख लड़ी, दिल को करार आया, फिर फायर की आवाज हुई और गोलियाँ चलने लगीं। कई डाकू घायल होकर हाय मरा चीखकर घोड़ों पर से गिर पड़े, घोड़े बिदक गए। तभी गोलीबारी बंद हो गई। पर्दे पर धुआँ-ही-धुआँ हो गया।

जब धुएँ के बादल परदे पर से हटे तो डाकू वापस जा रहे थे, भागते हुए। अब वहाँ न कोई घायल डाकू बचा था, न खून का कतरा। पुलिस ने कुछ दूर तक उनका पीछा किया, फिर रास्ता भटक गई। इसके बाद डाकू अड्डे पर पहुँच गए। वहाँ नाच-गाना हो रहा था। बहुत से डाकू मजे मार रहे थे। इन डाकुओं के पहुँचते ही मुजरा बंद हो गया। सभी डाकू एक कतार में खड़े हो गए। सभी डरे हुए थे। थर-थर काँप रहे थे। डाकू जो ठहरे।

उनका सरदार गुस्से में चहलकदमी करने लगा। बार-बार रुककर पूछता, "कौन

है। कौन है मुखबिर? कौन है बताओ सालो?" पर कोई न बोला। सत्यवादी थोड़े ही थे वे सब। सरदार जिसकी तरफ देखता वही थरथर काँपता और कहता, "सच, सरदार, मैं नहीं हूँ। ईमान से।"

अब सरदार ने दर्शकों की तरफ देखकर पूछा, "बताओ सालो, मुखबिर कौन है?"

दर्शक परेशान। वे तो बेचारे आए ही तब थे जब ये साहब डाका डालने निकल चुके थे, फिर भला मुखबिरी कैसे करते?

सरदार बोला, "माँ भवानी की कसम, मैं पता लगाकर रहूँगा।" यह ऐलान करके सरदार तेजी से अड्डे से बाहर निकला। घोड़े पर बैठा और आ पहुँचा कोठे पर। नाच देखा, मजे लिए, रुपए फेंके। मगर ताज्जुब, यहाँ पर भी पुलिस आ पहुँची!

सरदार भागा। जैसे-तैसे अड्डे पर पहुँचा। यहाँ पता चला, एक डाकू ने किसी लड़की के साथ छेड़छाड़ की है। सरदार बौखला गया। उसका बौखलाना लाजिमी था, क्योंकि वह हर लड़की को माँ, बहन मानता था।

उसने डाकू साथी से कहा, "तुम्हें इसकी सजा अवश्य मिलेगी।"

तभी अड्डे पर मुजरा करने वाली छोरी चहकती हुई वहाँ आई और सरदार के गले में बाँहें डालकर बोली, "छोड़ो राजा, तुम भी किस पचड़े में पड़ गए। मैं कब से तुम्हारी राह जोह रही हूँ।"

सरदार ने उसकी अदाओं और रिझाने वाली बातों को नजरअंदाज कर उसे दूर झटक दिया और भुनभुनाता हुआ अड्डे के बाहर चला आया। उधर वह लड़की उसी छेडू डाकू के गले में बाँहें डालकर फूट-फूटकर रोने लगी।

इसके बाद काफी देर तक पर्दे पर पेड़, पौधे, जंगली जानवर दिखाई देते रहे। फिर उनके बीच में से जेंटलमैन बना डाकू सरदार नजर आया। वह घोड़ा भगाए चला जा रहा था। थोड़ी देर बाद उसका पीछा करती वह कोठे वाली तवायफ दिखाई दी और इसके थोड़ी देर बाद अड्डे पर नाचने वाली भी।

सरदार एक बाग में आया। घोड़े को कहीं दूर छिपा आया था। बाग में एक लड़की उसका बेसब्री से इंतजार कर रही थी। पहले दोनों में प्यार-मुहब्बत की बातें हुईं। फिर वे दोनों गाना गाने लगे। गाने के बीच में पहले कोठे वाली ने, फिर अड्डे पर नाचने वाली ने सौतन लड़की को कटार मारी। दोनों कटारें उसे लग गईं। लड़की वहीं ढेर हो गई। अब सरदार को गुस्सा आ गया। और गुस्से में वह, सबको माँ, बहन मानने वाला सरदार, जब तक कि उन दोनों को अपनी गोली का निशाना बनाए, पुलिस ने उसे चारों तरफ से आ घेरा। वे दोनों तो झटपट भाग खड़ी हुईं, मगर सरदार का जिस्म पुलिस की गोलियों से छलनी-छलनी हो गया।

इधर जाने कैसे अड्डे पर सब डाकुओं को पता चल गया कि सरदार मर गया है। अब यहाँ नया सरदार बनने के कई दावेदारों में सिर फुटव्वल होने लगी। जब

नए सरदार का फैसला न हो सका तो सभी सरदार बनने के दावेदार अपने-अपने समर्थकों को साथ लेकर जंगल में चले गए। यानी कई नए दलों का जन्म हो गया मिनटों में।

इसके बाद फिर वही होने लगा। यानी दक्षिण में सूर्यास्त, पुलिस से मुठभेड़, मुखबिर की तलाश, कोठे और अड्डे पर मुजरा, किसी डाकू द्वारा लड़की से बलात्कार, सरदार का माँ, बहन मानने का दावा, सजा देने का वादा, पेड़ों के इर्द-गिर्द किसी शरीफ लड़की के साथ गाना, कटार चलना, पुलिस का आना, सरदार का मरना, नए सरदार के लिए जिरह, नए गिरोह का जन्म।

और इस तरह करते-कराते तीन घंटे बाद एक पुलिस वाले ने पर्दे पर आकर बताया कि इलाके में तबाही मचाने वाले तमाम खूँखार डाकू पुलिस द्वारा मार दिए गए हैं। हम समझ गए कि हमारी डाका डलता हुआ देखने की ख्वाहिश अब पूरी नहीं हो सकेगी, सो चुपचाप सिनेमा हॉल से बाहर चले आए।

एक भारतीय वैज्ञानिक फिल्म

बहुत अर्से से हमारे फिल्मकारों पर यह तोहमत लगाई जाती रही है कि वे दादा फाल्के के जमाने से आज तक एक ही से विषयों पर फिल्म बनाते आ रहे हैं। इधर इस शर्मनाक आक्षेप को दरकिनार करने के लिए हमारे हिंदी फिल्मों के सुपर डायरेक्टर सरदेसाई ने सुपर स्टारों को लेकर सुपर स्टोरी पर एक सुपर फिल्म बनाई है जिसका विषय है भारतीय वैज्ञानिकों की चाँद यात्रा। इस फिल्म को देखने का सौभाग्य मुझे मिला है, संभव है आपको न मिले, सो मैं आपके लाभार्थ उसकी कहानी सुना रहा हूँ।

आज का दिन भारत के इतिहास में स्वर्णाक्षरों में लिखा जाएगा। आज ठीक बीस वर्ष बाद भारत का एक और यानी दूसरा वैज्ञानिक अमित पृथ्वी से चंद्रमा पर जाने वाला है। अमित के पिता वे पहले वैज्ञानिक थे, जो आज से ठीक बीस वर्ष पहले चंद्रमा पर गए थे। उनके साथ उनका छोटा बेटा विनोद और एक आया भी गई थी। लेकिन जब वे चंद्रमा से पृथ्वी पर आ रहे थे तो उनका चन्द्रयान खराब हो जाने से दुर्घटनाग्रस्त हो गया था और यान में आग लग जाने से अमित के पिता की मृत्यु हो गई थी। मगर उसके छोटे भाई और आया की लाश काफी ढूँढ़ने से भी नहीं मिली थी।

अमित की माँ ने हार नहीं मानी। उन्होंने अपने देवर अशोक कुमार, जो स्वयं वैज्ञानिक हैं, उनकी देखरेख में अपने इकलौते बेटे अमित को भी वैज्ञानिक बनाया ताकि वह अपने पिता के अधूरे काम को पूरा कर सके।

उपरोक्त इबारत के बाद पर्दे पर पहला दृश्य आता है–

अमित चंद्रयात्रियों वाला लिबास पहनता है, फिर चंद्रयान के पास आता है। अचानक उसे कुछ खयाल आता है। वह वापस मुड़ता है। अपने वैज्ञानिक चाचा और माँ के गले मिलता है। फिर अपनी प्रेमिका के कंधे पर हाथ रख उसे दूर एक झरने के पास ले जाता है। वहाँ दोनों में देर तक बातें होती हैं। प्रेमिका रो-रोकर कहती है कि वह उसके बिना कैसे रहेगी। जवाब में अमित उसे गोद में उठाकर झरने के नीचे ले जाता है। दोनों मिलकर एक गाना गाते हैं। गाना पूरा होते न

होते प्रेमिका को यह एहसास हो जाता है कि वह अमित के बिना कैसे रह पाएगी। तब दोनों वापस चंद्रयान के पास आते हैं। अमित चंद्रयान में बैठ जाता है। चंद्रयान बड़ी तेजी से ऊपर उड़ता है और देखते-ही-देखते सबकी आँखों से ओझल हो जाता है।

चंद्रयान के अदृश्य होते ही अमित के चाचा, माँ और प्रेमिका उसे चंद्रमा तक सकुशल पहुँचा देने की प्रार्थना करने के लिए पास ही के मंदिर में जाते हैं। वे तीनों वहाँ पहुँचकर भगवान की मूर्ति के आगे एक करुण गीत समवेत स्वर में गाने लगते हैं।

इधर जैसे ही अमित का चंद्रयान चंद्रमा की धरती पर उतरा, कुछ लोगों ने उसे घेर लिया। और जैसे ही हँसता-मुस्कुराता अमित यान से बाहर आया उन लोगों ने उसे रस्सियों से बाँध लिया। अमित समझ गया कि चूँकि चंद्रमा पर आदमी हल्का-फुल्का होकर उड़ने लगता है इसीलिए इन लोगों ने सावधानी बरती है। वे लोग उसे एक गुफानुमा अड्डे में ले गए। वहाँ जाकर उसे एक खंभे से बाँधकर कतार में सिर झुकाकर खड़े हो गए। थोड़ी ही देर में एक युवक और युवती वहाँ आए। युवक ने अमित के पास आते ही उसके पेट पर एक घूँसा मारा। चूँकि अमित ने ऊपर से चंद्रयात्रियों वाला लबादा पहन रखा था इसलिए चोट उस युवक को ही लगी।

कुछ देर अपना हाथ सहलाकर वह युवक (विनोद खन्ना स्टाइल में) गुर्राया, "तो तुम पृथ्वी से आए हो हमारे गेंग का सफाया करने के लिए? पर तुम नहीं जानते हमारे हाथ कितने लंबे हैं। हमने तुम्हारा यान तोड़ दिया है और कल तुम्हारा भी कत्ल कर देंगे। अगर तुम जान की खैर चाहते हो तो वह डायरी हमारे हवाले कर दो जिसमें हमारे गैंग के लोगों के नाम-पते लिखे हैं।"

अमित ने ऊदबिलाव की तरह उनकी तरफ देखा और कुछ गमगीन-सा हो गया। तभी उस युवक ने अपने साथियों को वापस जाने का इशारा किया और खुद भी वापस जाते-जाते अपनी साथिन युवती से बोला, "परवीन डार्लिंग, तुम यहीं रुको और इससे सच्चाई उगलवाने की कोशिश करो।"

इन सबके जाते ही अमित ने परवीन को बताया कि वह पुलिस वाला नहीं वैज्ञानिक है और अपने बाप का अधूरा सपना पूरा करने आया है। परवीन उस युवक की मंगेतर थी। वह अपने होने वाले पति को इन षड्यंत्रों से छुटकारा दिलाकर एक नेक इंसान बनाना चाहती थी...उसे डर लग रहा था कि उसका मंगेतर स्मगलर तो है ही, कहीं अमित की हत्या करके हत्यारा भी न बन जाए। इसलिए उसने अमित के सब बंधन काट दिए और वहाँ से भाग गई।

मगर अमित वहीं खड़ा रहा। शाम को गैंग के तमाम लोग वहाँ वापस आए। उन लोगों को अपने बॉस की मंगेतर से अमित की कहानी मालूम हो चुकी थी। वे सब अमित का और अमित के बाप का मजाक उड़ाने लगे। अमित से अपने

बाप की बेइज्जती बर्दाश्त नहीं हुई।

वह उन पर टूट पड़ा।

तभी वह युवक वहाँ आ पहुँचा। उसने अमित पर गोली चलाई। अमित का लबादा टूटकर एक तरफ गिर गया। फिर उन दोनों में जमकर लड़ाई हुई। घूँसेबाजी, लाठीबाजी, तलवारबाजी, कबड्डी। और फिर वे कभी कार में, कभी मोटर साईकिल पर, कभी पानी के जहाज में, कभी हवाई जहाज में, कभी राकेट में, कभी ऐसे ही आसमान में उड़कर एक-दूसरे का पीछा करते रहे।

फिर वापस उसी अड्डे पर आ पहुँचे। वहाँ उस समय एक मुजरा हो रहा था और पुलिस किसी को खोज रही थी। पुलिस को देखते ही उन दोनों में आँखों ही आँखों में कुछ बात हुई और दोनों लड़ाई छोड़, भेष बदलकर कव्वाली गाने लगे।

कव्वाली खत्म होते ही पुलिस वहाँ से चली गई। तभी उस युवक ने एक ऐश-ट्रे में से पिस्तौल निकालकर अमित पर गोली चलाई। गोली लगते ही अमित की कमीज जलकर भस्म हो गई। युवक ने जैसे ही दूसरी गोली चलाई अमित ने पीठ झुकाकर उसे नाकाम कर दिया। युवक ने जैसे ही तीसरी गोली चलाने के लिए निशाना साधा, एक बुढ़िया ने उसके हाथ पर झपट्टा मारा। हाथ हिलते ही गोली ऊपर छत पर लगे पंखे से टकराई। पंखा नीचे गिरा। पंखे के गिरने से चंद्रमा की जमीन में गड्ढा हो गया। तभी उस बुढ़िया ने चीखकर कहा, ''अमित, दूर हट जाओ। विनोद गोली मत चलाओ। अमित तुम्हारा बड़ा भाई है।''

अमित और उस युवक विनोद ने हैरानी से एक-दूसरे को देखा। फिर बुढ़िया की ओर देखा। तब बुढ़िया ने अमित की पीठ पर बना आर्य-भट्ट उपग्रह का निशान दिखाया। वैसा ही निशान विनोद की पीठ पर भी था।

इधर भगवान के आगे प्रार्थना करते-करते अमित की प्रेमिका ने देखा, वेदी के पास रखा दीया बुझना चाह रहा है। उसने वैज्ञानिक चाचा को दिखाया। वे समझ गए कि जरूर अमित पर कोई संकट आया है। वे बाहर रखे चंद्रयान पर सवार हुए और जा पहुँचे चंद्रमा पर। अमित-विनोद की लड़ाई में पंखे के गिरने से हुए गड्ढे में सिर देकर सीधे घटनास्थल पर पहुँच गए।

जब वे वहाँ पहुँचे तो अमित और विनोद एक-दूसरे से गलबहियाँ कर रहे थे। अमित की माँ ने अपनी बीस साल पुरानी आया को देखते ही पहचान लिया।

आया ने बताया, ''जब मालिक मुझे और छोटे बाबू को यहाँ छोड़कर आप लोगों को लेने के लिए वापस पृथ्वी पर गए तो फिर नहीं लौटे। मैंने यहाँ एक साहिब के बंगले पर नौकरानी का काम करके विनोद बाबू को पाल-पोसकर बड़ा किया, पर जाने कैसे ये कुसंगत में पड़ गए। अब मालकिन अपनी अमानत आप सँभालिए, मेरे लिए तो लगता है ऊपर वाले का बुलावा आ गया है।'' और यह कहते ही वह ढेर हो गई।

यह देखकर वे सभी प्रसन्न हुए। बिछुड़े माँ-बेटे मिल गए। अमित ने विनोद को, विनोद ने अमित को अपनी होने वाली पत्नियों यानी वर्तमान प्रेमिकाओं से इंट्रोड्यूज कराया। फिर ये सब मिल कर यह तय करने लगे कि उन्हें शादी के बाद यहीं मून की लाईट में शेष जीवन जीना चाहिए या यहाँ हनीमून मनाकर वापस धरती पर लौट जाना चाहिए।

तो यह है सरदेसाई की नई वैज्ञानिक फिल्म 'मून लाईट' की अविस्मरणीय कहानी।

आप भी फिल्म जरूर देखें और फिल्म से पहले दिखाई जा रही डालडा सिंह—चिंगचाँग की कुश्ती और इंटरवल के बाद दिखाई जा रही ताकत के परवाने द्वारा नामर्दों को मर्द बनाने वाले नुस्खों की रीलें भी देखना न भूलें।

फिल्मकारों की चाँद यात्रा

यह सन् 2582 की घटना है। चंद्रमा पर काफी आबादी हो गई थी। सभी तरह के लोग थे, नौकरीपेशा, पूँजीपति, भिखारी, पंडे, साहित्यकार और चित्रकार।

एक दिन चंद्रलोक की पार्लियामेंट में इस बात पर विचार किया जा रहा था कि हमारे यहाँ लोग दिन-रात परिश्रम करते हैं, पढ़ते-लिखते हैं, नाम कमाते हैं मगर फिर भी उदास क्यों रहते हैं? काफी बहस के बाद यह बात सामने आई कि यहाँ सर्वसाधारण के लिए सिनेमा नहीं है जबकि भारत देश में जो पृथ्वी उपग्रह का एक बड़ा देश है, गरीब देश है, फिर भी वहाँ मनोरंजन का यह बेहतरीन साधन सुलभ है। फिर चर्चा हुई कि आखिर सिनेमा का विकास यहाँ कैसे हो? घंटों गहन विचार-विमर्श के बाद तय पाया गया कि दुनिया में सबसे बेहतरीन सिनेमा तकनीक के मालिक भारत से सहयोग लिया जाए।

कुछ सदस्यों ने बताया कि सहयोग अगर सरकारी तौर पर माँगोगे तो वहाँ से ऐसे फिल्मकार भेजे जाएँगे जिनकी फिल्में वहाँ सरकारी इनाम पाने के बाद डिब्बों में बंद हो जाती हैं क्योंकि जिन्हें सरकार बढ़िया फिल्मकार मानती है उन्हें जनता पसंद नहीं करती। इसलिए वहाँ के सुपरहिट फिल्म निर्माता, निर्देशक का अपहरण कर लिया जाए। जिनकी फिल्में चूँकि सेंसर होती हैं, इसलिए सौद्देश्य तो होती ही हैं, लोग भी काफी पसंद करते हैं। बाद में वहाँ की सरकार को एक क्षमा-पत्र भेज देंगे।

अगले ही दिन इस पर अमल किया गया और एक सुपरहिट फिल्म निर्माता, निर्देशक और धाँसू कहानीकार को एक चंद्रयान पृथ्वी पर देखते-ही-देखते आकर मय उनके माल-असबाब के उड़ा ले गया।

तीनों फिल्मकारों को चंद्रमा पर पहुँचने पर पूरी बात विस्तार से बता दी गई। पहले तो उन्होंने ना-नुकर की मगर एग्रीमेंट की रकम का फिगर सुनते ही राजी हो गए।

एग्रीमेंट के मुताबिक उन्हें बहुत बड़ी रकम एडवांस दे दी गई। इस रकम के जेब में आते ही इन्होंने चंद्रवासियों की नाक में दम करके अपने मन माफिक

सभी सहूलियतें भी जुटा लीं। फिर कई महीनों तक वहाँ के युवक-युवतियों को अभिनय का प्रशिक्षण दिया गया, सैकड़ों सिनेमा हॉल तैयार किए गए, दूसरे उपग्रहों से कच्चा-पक्का माल आयात किया गया। एक से एक धाँसू कहानियाँ तैयार की गईं।

फिल्मों की शूटिंग शुरू होते ही हीरो-हीरोइन के बारे में स्कैंडल उछाले जाने लगे। रेडियो, टी.वी. पर प्रायोजित कार्यक्रम दिए गए। फिर कई दिनों तक किसका नाम पहले हो इस पर विवाद चला और इसके हल होते ही चंद्रमा की हर सड़क पर बड़े-बड़े पोस्टर चिपका दिए गए। तीनों फिल्मकारों ने अपने-अपने लिए नए यान खरीद लिए। अपनी सात पुश्तों तक की खुशहाली का पूरा-पूरा बंदोबस्त कर लिया।

इसके बाद बड़े जोर-शोर से एक साथ कई फिल्में कई-कई सिनेमा हॉलों पर रिलीज हुईं। प्रीमियर शो हुए, बड़े-बड़े नेता उनमें शामिल हुए। कई हीरो-हीरोइन बिना फिल्म रिलीज हुए ही केवल प्रचार और स्कैंडल के दम पर रातों-रात टॉप स्टारों में गिने जाने लगे। इसे छोड़ उसे पकड़, इसे तलाक दे, उससे विवाह कर का दौर चल पड़ा। तीनों फिल्मकारों ने कइयों को चांस देने के नाम पर अच्छी तरह चखा।

उधर फिल्म हॉलों पर भीड़ टूट पड़ी। बड़ी-बड़ी लाइनें लगने लगीं। फिल्मों के प्रिंट के वीडियो कैसेट तैयार हो गए। अमीर लोग अपने घरों में बैठकर फिल्म देखने का मजा लेने लगे।

सरकार के लोग बहुत खुश हुए। रातों-रात मनोरंजन कर के रूप में करोड़ों रुपया सरकारी कोष में जमा होने लगा।

संसद के अगले सत्र के शुरू होते ही इन तीनों फिल्मकारों को पुरस्कृत करने की योजना बना ली गई। यह सत्र सरकार के इस फैसले पर पहुँचने के चार महीने बाद शुरू होने वाला था। तीनों ही फिल्मकार अपनी इस आशातीत सफलता पर फूले नहीं समा रहे थे।

वह तारीख भी आनी थी सो आ गई। संसद का सत्र शुरू हुआ और आधा घंटे बाद ही समाप्त भी हो गया। ये तीनों फिल्मकार संसद के बाहर ही खड़े थे। अचानक कुछ सिपाही आए और उन्होंने इन्हें घेरकर एक यान में बैठाया। यान इन्हें लेकर पृथ्वी की तरफ आया और जमीन से करीब दस फुट ऊपर से भारतीय संसद भवन पर इन्हें और साथ में एक चिट्ठी फेंककर वापस चला गया।

इधर इन तीनों को पुलिस ने पकड़ लिया। चिट्ठी प्रधानमंत्री के नाम थी सो मय चिट्ठी के इन्हें प्रधानमंत्री के सामने पेश किया गया। प्रधानमंत्री ने चिट्ठी खोलकर पढ़ी। उसमें लिखा था–

''सम्माननीय पृथ्वी उपग्रह की भारतीय प्रधानमंत्री। हमें खेद है कि आपके देश के इन तीन मनहूसों को हम अपने चंद्रमा पर ले गए थे ताकि वहाँ सिनेमा तकनीक का श्रीगणेश कर सकें। इन्होंने हमें जो फिल्में बनाकर दीं, उनका नतीजा यह है कि अब हमारे यहाँ कोई काम नहीं करना चाहता। बच्चा-बच्चा फिल्मी गाने

गाता, जेब में चाकू, मुँह में सिगरेट लिए घूम रहा है। चोर हवा से भी ज्यादा जल्दी घरों में घुसने लगे हैं। लड़कियों का घर से निकलना दूभर हो गया है। पुलिस महकमा रिश्वतखोर हो गया है। नेता केवल आश्वासन देने लगे हैं। हत्या, बलात्कार, झूठे मुकदमों की संख्या बढ़ती जा रही है। अनैतिक संबंधों की बाढ़ आ गई है। दूसरे उपग्रहों से आने वाले यानों में तस्करी का सामान मिलने लगा है। हर कोई मेहनत की रोटी छोड़कर रातों-रात अमीर बनने का स्वप्न देखने लगा है।

हम समझते थे कि भारत में सेंसर है इसलिए आपकी फिल्में शिक्षाप्रद होने की वजह से ही पर्दे तक जाती होंगी, पर यह हमारा भ्रम था। भारत के महान् फिल्म उद्योग और भारत की खुशहाली का राज हमारी समझ में आ गया है। आपके ये फनकार आपको ही मुबारक।"

(आदरणीय परसाई जी से क्षमा-याचना सहित)

रेखा को पुरस्कार मिला तो उर्वशी रो पड़ी

उस दिन स्वर्गलोक की फिल्म इंडस्ट्री का सारा काम ठप पड़ा था। लाखों की लागत से बने सेट्स वीरान खड़े थे। निर्माता परेशान से इधर-उधर घूम रहे थे। स्टूडियो के किराए का लाखों रुपया पानी में पड़ता नजर आ रहा था। सदियों से स्वर्गलोक की सबसे ज्यादा बिकाऊ, टाप हीरोइन उर्वशी रूठ गई थी। उसने किसी भी फिल्म की शूटिंग में भाग लेने से इंकार कर दिया था। सभी चिंतित थे। हैरान कि मृत्युलोक के बंबइया फिल्म उद्योग की यह बीमारी यहाँ कैसे आ पहुँची? कल तक तो उर्वशी को किसी भी निर्माता से कोई शिकायत नहीं थी। आज क्या बात हो गई?

आखिर सभी निर्माता एकजुट होकर उर्वशी के बँगले पर जा पहुँचे। उर्वशी के सामने स्वर्गलोक की एकमात्र छमाही फिल्मी पत्रिका स्वर्गतारिका रखी हुई थी। निर्माताओं द्वारा उदासी का कारण पूछे जाने पर उर्वशी रो पड़ी। फिर पत्रिका दिखाते हुए बोली, "देखा आपने, मृत्युलोक में मेरे नाम से मिलने वाला पुरस्कार इस बार रेखा को मिला है। आखिर वे हर साल मेरे नाम का मजाक क्यों बनाते हैं? अब जब तक मुझे सही-सही पता नहीं चल जाएगा कि ऐसा क्यों होता है, और उसे यह पुरस्कार क्यों मिला, मैं कोई काम नहीं करूँगी।"

निर्माताओं ने उसी पत्रकार को, जो यह मनहूस खबर लाया था, पूरी जानकारी लेने मृत्युलोक भेज दिया।

पत्रकार पृथ्वी पर कुछ दिन घूम-फिरकर जब वापस स्वर्गलोक पहुँचा तो उसके इर्द-गिर्द फिल्म वालों का जमघट लग गया। सबके बार-बार आग्रह करने पर मृत्युलोक की धूल से ढका पत्रकार मंच पर आया और उसने बताना शुरू किया...साहबान, मैंने भारत पहुँचकर रेखा की दो फिल्में देखीं—'उमराव जान' और 'प्राण जाये पर वचन न जाये'। दोनों फिल्में देखने के बाद मुझे लगा, अगर इसे उर्वशी यानी अपनी डेढ़ विलाम कपड़े तन पर बाँधने वाली उर्वशी के नाम वाला पुरस्कार ही देना था तो 'प्राण जाये पर वचन न जाये' फिल्म पर मिलना चाहिए था जिसमें उसने हमारी उर्वशी से भी कम कपड़े इस्तेमाल किए हैं, न कि 'उमराव जान' पर जिसमें वह नख से शिख तक कपड़ों से ढंकी नजर आती रही।

इसके बाद मैंने वहाँ कई तरह के लोगों से इस बारे में बात की।

सबसे पहले मैं बंबई गया। वहाँ एक निर्माता-निर्देशक से पूछा कि रेखा को 'उमराव जान' के लिए उर्वशी पुरस्कार क्यों मिला?

वह बोले, "अजी साहब, रेखा तो क्या मैं तो डुप्लीकेट को भी एवार्ड दिलवा दूँ बशर्ते वह मेरी फिल्म में मेरे कहे मुताबिक एक्टिंग करे।"

डिस्ट्रीब्यूटरों ने बताया, "पुरस्कार से क्या होता है? असल चीज है बिजनेस, जब वही न मिला तो 'उमराव जान' चाहे दस पुरस्कार ले मरे, क्या बनता-बिगड़ता है।"

अभिनेता जो नया था, बोला, "फारुख पागल था जो उसने नायिका प्रधान फिल्म में काम किया। अब खा गया न मात!"

एक हीरोइन उबल पड़ी, "पुरस्कार! वह तो मिलना ही था। सुपर स्टार की लवर है। वैसे पहले अली ने यह रोल मुझे ऑफर किया था पर चूँकि एक तो मुजफ्फर अली स्टैंडर्ड का डायरेक्टर नहीं है, दूसरे ओडियंस में छवि खराब होती, सो मैंने रिजेक्ट कर दिया था।"

मंत्री जी भेदभरी मुस्कान बिखेरकर बोले, "सांप्रदायिक सद्भाव का नमूना पेश किया है उसने और फिर अल्पसंख्यक जमात को लेकर कोई दूसरी फिल्म भी तो नहीं बनी थी ससुरी। जबकि इसमें कहानी उनकी, निर्माता-निर्देशक उसी जमात का, गीतकार, संगीतकार उन्हीं में से, फिर भला पुरस्कार क्यों न देते?"

समाजवादी नेता बोले, "ताज्जुब होता है इस सरकारी महकमे पर, सरकार बात-बात पर समाजवाद का रोना रोती है और एक ही फिल्म को चार-चार पुरस्कार देकर पूँजीवाद, जखीरावाद को बढ़ावा देती है?"

लोकतांत्रिक पार्टी के एकमात्र सदस्य बोले, "लोकतंत्र के जरिए सत्ता में आई सरकार से यह उम्मीद नहीं थी कि वह राजानवाबों, राजशाही की पक्षधर कहानी को पुरस्कार देगी।"

एक फिल्मी दर्शक बोला, "सरकार समझती है रेखा को पुरस्कार देने से वह पर्दे पर अपना गदराया बदन नहीं दिखाएगी। यानी दर्शकों की एक और हवाई पर्दानशीं माशुका हाथ से गई! पर वह भूल गई कि जिसे दो-दो बार पुरस्कार दिया वह भी जब पर्दे पर जिस्म का बाजार दिखाने पर उतारू है तो भला रेखा...सौ-सौ चूहे खाए के बिल्ली हज को जाएगी, हुंह!"

एक परचूनिया बोला, "अजी अब तो जो लक्स से नहाएगी वही पुरस्कार पाएगी।"

और आखिर में मेरी मुलाकात हुई एक फिल्मी पत्रकार से। उनकी बात सुनकर मुझे लगा मेरा मकसद पूरा हो गया। काश वे पहले से मिल गए होते।

उन्होंने बताया, "अमाँ ब्रादर, तुम भी किस पचड़े में पड़ गए। यहाँ तो यह

आलम यह है कि खोदोगे 'उमराव जान' और मिलेगा मुजरा। दरअसल जब पुरस्कार समिति वाले मुजरे वाले हर सीन में पर्दे पर बैठे लोगों को अशर्फियाँ लुटाते देख चुके तो इन्हें भी उसकी अदाओं पर नोट बरसाने की याद आई। सरकारी काम पर गए थे सो जेबें खाली थीं। उन्हें मायूसी ने आ घेरा। फिर तुरंत एक आइडिया दिमाग में आया और सबने उसकी एक बांकी चितवन वाली अदा पर एक साथ अपनी-अपनी जेब से कागज, कलम निकालकर उस पर 'उर्वशी पुरस्कार' लिखा और न्यौछावर कर दिया, और बलैयाँ लेकर घर चले आए।''

हीरो का हृदय परिवर्तन

बहुत दिनों से सोच रहे थे हम कि किसी तरह संपादक साहब का हृदय परिवर्तन हो जाए ताकि हमारा मेहनताना बढ़े, मगर ऐसा नहीं हुआ। एक-दो बार हमारे अपने उपजाऊ दिमाग में भी तरीके आए, जैसे एक बार महात्मा बुद्ध वाला तरीका आया। उसमें एक खतरा भी था कि बुद्ध ने पहले बूढ़ा, फिर बीमार और फिर मरा हुआ आदमी देखकर संन्यास लेने का फैसला कर लिया था। सो हमें लगा कि कहीं संपादक साहब ने भी ऐसा ही किया तो हम चौबे जी से बजाय छब्बे होने के दुब्बे होकर रह जाएँगे। सो हमने झटपट बुद्ध को नमस्कार किया और भूल गए।

इधर बुद्धं शरणं गच्छामि का इरादा त्याग कर हम किसी नए तरीके की खोज में थे कि तभी एक अखबार में एक फिल्म का विज्ञापन पढ़ा, लिखा था—'हृदय परिवर्तन' की चौंका देने वाली कहानी जो आपको बहुत कुछ सोचने पर विवश कर देगी। पढ़कर पहले तो हमें यही लगा कि बहुत कुछ सोचने पर तो हर फिल्म विवश कर देती है, इसलिए कोई खतरे वाली बात नहीं, मगर हृदय परिवर्तन शब्द हमें प्रभावित कर गया और हम जा पहुँचे सिनेमा हॉल में।

उस फिल्म की कहानी कुछ इस तरह शुरू हुई :

एक लड़के के सामने उसके बाप का कत्ल कर दिया गया था। सिर्फ कत्ल। लाश उठाई मोहल्ले वालों ने, उधर लड़के ने बंदूक उठा ली।

हमारे पड़ोस में बैठे दर्शक ने हमसे पूछा, "क्या हो गया है इसे?"

हमने बताया, "हृदय परिवर्तन हो गया है इसका।"

वह दर्शक भी शायद विज्ञापन पढ़कर आया था। बोला, "अभी से? तो अब ढाई घंटे तक इस फिल्म का निर्माता क्या बापू की अमर कहानी दिखाएगा या विदेशी फिल्मों की कहानी?"

हमने कहा, "नहीं, यह वास्तव में बदले की आग की प्रतिज्ञा वाला हृदय परिवर्तन हुआ है, असल यानी दि एंड वाला तो बाद में होगा।"

सुनकर वह फिर से कुर्सी पर जम गया।

वह लड़का बंदूक लेकर श्मशान घाट तक गया। वहाँ जाकर उसने कसम खाई,

और जंगल में भाग गया।

कुछ देर तक पेड़-पौधों के पीछे लुका-छिपी करने के बाद घोड़े पर बैठकर आया और आते ही एक आदमी का खून कर दिया।

हमने देखा तो सोचने लगे, अब इसका फिर हृदय परिवर्तन होगा। पर ताज्जुब की बात, अपने बाप का खून होते हुए देखकर जिसका हृदय परिवर्तन हो गया था, अब उसके फौलादी हृदय पर बाप बराबर उम्र के आदमी की मौत कोई असर नहीं कर सकी।

हमें कोफ्त होने लगी। हम उठकर बाहर जाने लगे तो साथ की सीट पर बैठे दर्शक ने पूछा, ''कहाँ चले? बैठे रहो। फिल्म बहुत मजेदार है।''

हमने पूछा, ''तुम्हें कैसे मालूम?''

वह बोला, ''फिल्म की कहानी हमारी समझ में आ गई है।''

हम एक नई उलझन में पड़ गए। बेचारे निर्माता ने जिस कहानी पर लाखों खर्च किए। कहानीकार, पटकथाकार, संवादकार और छायाकारों को हजारों रुपये इसलिए दिए कि कहानी में आखिर तक सस्पेंस बना रहे, उसका दूसरा सीन देखते ही यह दर्शक पूरी कहानी कैसे समझ गया?

खैर, हम बैठ गए। तभी वह लड़का फिर आया और एक लड़की को उड़ा ले गया। उसके माँ-बाप रोने लगे, लड़की उसके पैरों में लोट गई।

हमने सोचा, अब इसका हृदय परिवर्तन हो जाएगा, पर ऐसा नहीं हुआ।

फिर वह लड़का शहर गया। वहाँ एक वेश्या के कोठे पर पहुँचा। वहाँ एक नई लड़की को जबरदस्ती वेश्या बनने पर मजबूर किया जा रहा था। वह रो रही थी, गिड़गिड़ा रही थी। हमने सोचा अब इसका हृदय परिवर्तन हो जाएगा, यह जरूर इस लड़की को बचाएगा, पर नहीं, फिर हमारी सोच गलत साबित हुई।

हमारे साथ बैठा दर्शक हमारी परेशानी भाँप गया। वह बोला, ''अमाँ, परेशान क्यों होते हो, अभी तो इंटरवल भी नहीं हुआ, अभी से हृदय परिवर्तन कैसे हो सकता है!''

खैर, इंटरवल भी हो गया। हम बाहर आकर सोचने लगे, नुस्खा तो अभी हाथ लगा नहीं, क्यों न पूरी फिल्म देख लें!

इंटरवल के बाद उस लड़के की मुठभेड़ पुलिस से हो गई। उसके हाथ पर गोली लगी, वह भाग खड़ा हुआ। एक मकान में पहुँचा। वहाँ एक अदद लड़की मौजूद थी। उसने इसकी गोली निकाली। गोली निकलवाने में इसे बड़ी तकलीफ हुई।

हमने सोचा, अब जरूर यह दुख-तकलीफ की जिंदगी त्याग देगा। पर नहीं, ऐसा नहीं हुआ।

इसी समय उसे उस लड़की से आँखों-ही-आँखों में प्यार हो गया था।

हमने फिर सोचा कि अब यह लड़की के प्यार की खातिर जलालत की जिंदगी

छोड़कर आराम से इसी के साथ इस जंगल में बस जाएगा।

पर नहीं, वह भाग खड़ा हुआ।

चूँकि लड़की को उससे सच्चा प्यार हो गया था इसलिए लड़की ने दर्शकों को हाजिर-नाजिर जानकर कसम खाई कि वह उसे सही रास्ते पर ले आएगी।

हमें नए सिर से उम्मीद बँधी, पर साथी दर्शक बोला, ''इसकी बात पर एतबार मत करना। यह दो-चार गाने गाने, ठुमके लगाने, चुनरिया जमीन पर गिराकर उठाने का नाटक करने के सिवा कुछ नहीं करने की। हाँ, आँखों से आँसू जरूर बहाएगी कई बार।''

अब हम नाउम्मीदी के आलम में आ गए। चुपचाप टुकुर-टुकुर पर्दे की तरफ देखा किए। हमारे साथी दर्शक का कहा सही निकला। उन्होंने गाने गाए, दो-चार लोगों से वह लड़का लड़ा-झगड़ा, घोड़ा दौड़ाया, पहाड़ पर से छलाँग लगाई पर हृदय परिवर्तन के आसार बनते नजर नहीं आए।

अचानक एक ऐसा हादसा हुआ कि हम शर्म से पानी-पानी हो गए।

हुआ यह कि उस लड़के के घोड़े के पैर के नीचे दब जाने से एक मेंढक मर गया। लड़के ने तुरंत घोड़ा रोका। नीचे उतरा, मरे मेंढक को हाथ में लेकर देखा, चेहरा गमगीन बनाया। वापस घोड़े पर चढ़ा और सीधे थानेदार के सामने हथियार डाल दिए।

यानी उसका हृदय परिवर्तन हो गया। जब वह बाहर आया तो वह लड़की हँसती-मुस्कुराती उसका इंतजार कर रही थी। वे दोनों हाथ में हाथ डाले जंगल की तरफ चले गए।

सभी दर्शक उठ गए थे, पर हम सिर नीचा किए बैठे रहे।

तभी साथी दर्शक ने कहा, ''देखा, कैसा गर्म चाँटा मारा धर्मकांटा के निर्माता सुल्तान अहमद ने हमें।''

हम मुँह लटकाए बाहर चले आए गाल सहलाते।

किस्सा मौसमी प्रेम का

उन दिनों हम फिल्मों के दीवाने थे। दिल्ली या दिल्ली की चारों सरहदों—गुड़गाँव, फरीदाबाद, गाजियाबाद और सोनीपत में से जहाँ भी कोई नई या पुरानी ऐसी फिल्म आ जाए जिससे हमने आँखें चार न की हों, हम तुरंत उस शहर के रिक्शावालों से टाकीज का रास्ता नपवाते देखे जा सकते थे।

फिल्म चाहे डिब्बाघर में आए, चाहे टीना-टप्पर वाले चलताऊ टाकीज में, चाहे वातानुकूलित छविग्रह में, हमें तो केवल इतने भर से सरोकार रहता था कि हमारे और पर्दे के बीच कोई दीवार न हो। और अगर फिल्म मौसमी चटर्जी की हो तो हम दीवार पर चढ़कर भी फिल्म देखने को तैयार रहते थे। इसीलिए उस बार फिल्म 'नाटक' जब केवल एक बेहद घटिया सिनेमाघर में ही लगी तब भी हम पहुँच गए उसे देखने।

फिल्म का पहला शो छूटते ही दर्शकों का रेला उमड़ पड़ा। देख चुकों को बाहर आने की जल्दी थी और देखना चाहने वालों को भीतर जाने की। हम चुपचाप एक किनारे खड़े हो गए। हमें भीतर जाने की कतई जल्दी नहीं थी। क्योंकि अनचाहे बालों को, मनचाहे ढंग से, जब चाहे साफ करने का नुस्खा जानना हमारे लिए कतई जरूरी नहीं था और न ही हम वे कपड़े, वह कार, वह शैंपू, वह होटल, वह बाग या दवा खरीदने का इरादा रखते थे जो वहाँ बड़े ही रोमांटिक, लुभावने, ललचाने वाले अंदाज में दिखाए जाने थे। हमें तो मतलब था मौसमी चटर्जी से, फिर फिल्म से।

भीड़ के छँटने पर हम भी भीतर जाकर अपने नंबर वाली सीट पर बैठ गए। हमारे साथ की सीटों पर एक पूरा परिवार बैठा था। हमारे एकदम बगल वाली पर एक पुरुष, फिर उसकी जवान-सी लड़की, फिर पत्नी, फिर कई और बच्चे। कुछ ही देर में पूरे हॉल में अँधेरा हो गया और फिल्म का प्रदर्शन शुरू हो गया। हम तल्लीनता के साथ फिल्म देखना चाह रहे थे मगर बार-बार टॉर्चमैन के आने-जाने से देखने में बाधा पड़ रही थी। हमें ही नहीं शायद और दर्शकों को भी उसकी यह चहलकदमी नागवार गुजरी और उन्होंने हमारी तरह चुप्पी साधे रहने के बजाय बाकायदा

शोर-शराबा, गाली-गलोज करके अपना विरोध प्रकट किया, तब कहीं उस मनहूस ने आवाजाही बंद की। इस बीच हम कई दृश्यों में अपनी चहेती मौसमी को देखने से रह गए। पर खैर...

पर्दे पर नया दृश्य आया। मौसमी हाथ में टॉर्च लिए अँधेरे में कुछ खोज रही थी। वह टॉर्च की रोशनी कभी एक कोने में फेंकती, कभी दूसरे कोने में। उसके चेहरे पर पसीना आ गया। उसकी यह परेशानी हमसे देखी नहीं जा रही थी। हमने शर्म से गर्दन झुका ली। और तभी शायद किसी मददगार की खोज में उसने सामने की तरफ टॉर्च की रोशनी फेंकी और ताज्जुब की बात, वह रोशनी सीधी हमारे चेहरे पर आ पड़ी। हम असमंजस में पड़ गए। यह कैसे हो सकता है? तो क्या वह पर्दे से बाहर निकल आई? और अगर निकल भी आई है तो रोशनी हम पर ही क्यों? तो क्या उसे भी पता है कि हम उसके चहेते हैं? मगर उसे यह मालूम कैसे हुआ? हमने तो आज तक खुद को भी नहीं बताई यह बात। और अगर उसे मान लो टेलीपैथी से मालूम भी हो गया तो क्या पूरे हॉल में हम अकेले ही उसके प्रेमी हैं? न जाने इसी सिनेमाहॉल में और कितने चहेते बैठे होंगे इन बेपर्द पर्देवालियों के।

हम तो इधर इसी उधेड़बुन में उलझे थे उधर वह लगातार हमारे चेहरे पर रोशनी पर रोशनी डाले जा रही थी। पूरे हॉल में घुप्प अँधेरा था इसलिए कोई और भी यह खेल देख रहा हो यह संभव न था, फिर भी हम शर्म से पानी-पानी हो आए। मौसमी को जी भरकर देखने का इतना अच्छा अवसर हमारे हाथ आया मगर उसका लाभ उठाने की बजाय हमने गर्दन और भी झुका ली। वह तब भी रोशनी हमारी ही तरफ फेंकती रही। अब उसकी टॉर्च का निशाना हमारा चेहरा न होकर हमारी कमीज का कालर हो गया था। हम अजीब उलझन में पड़ गए। हमारा चेहरा पीला पड़ गया। कानों से सुनाई देना बंद हो गया। हमें लगा, आज हमारी मन की बात जग जाहिर हो गई है...और इस पूरे हॉल में हम अकेले ही इसके प्रेमी हैं। कितने खुशनसीब हैं हम। पर यह मौसमी की बच्ची कितनी नादान है। कितनी नटखट है। इसे जरा भी लिहाज नहीं, शर्म नहीं।

हमें निर्देशक की अक्ल पर बेइंतहा गुस्सा आने लगा। उस नामाकूल को क्या जरूरत थी इस दृश्य को फिल्म में रखने की। पर दूसरे ही पल हमने सोचा, हो न हो उसने यह दृश्य जानबूझकर रखा होगा। आखिर ऐसे ही स्कैंडल तो फिल्म चलाते हैं, या फिर हो सकता है मौसमी ने ही कहा हो। हमारा बस चलता तो हम इस दृश्य के प्रदर्शन पर ही रोक लगवा देते। पर अब हम लाचार थे। शर्म से सिर नीचा किए बैठे रहने के सिवाय कुछ नहीं कर सकते थे। हम मन-ही-मन कसमें खाते रहे कि अब किसी हीरोइन को दिल नहीं देंगे। ये तो संरेआम किसी के जज्बातों का मखौल उड़ा देती हैं। इनसे पवित्र-प्रेम की उम्मीद करना बेकार है। इनका सब कुछ दिखावटी है, नुमाइशी है। तभी तो ये प्यार जैसे दिली-जज्बाती रिश्ते को भी प्रचार

का जामा पहनाने से बाज नहीं आतीं।

उधर हम इन खयालों में खोए मौसमी-सरीखियों पर लानत-मलामत भेजने में मशगूल थे और इधर रोशनी में अब हरकत होने लगी थी। अब रोशनी की पीली रेखा हमारी कमीज पर आती और कंधे की तरफ तेजी से निकल जाती। हम लाल-पीले होते रहे। कभी-कभी चेहरे पर नूर झलक आता रहा, मगर तब जब हमारे चेहरे पर से रोशनी की रेखा हट चुकी होती थी। कुछ देर बाद रोशनी आनी बंद हो गई। हम फिर भी दो-तीन मिनट तक सिर नीचा किए बैठे रहे। जब हमें यकीन हो गया कि उसने हमारा पीछ छोड़ दिया है तो हमने चेहरा ऊपर उठाया। तब पर्दे पर मौसमी बुढ़िया बनी किसी से बतिया रही थी।

हमें नए सिरे से उस पर गुस्सा आ गया। देखो इस चालबाज को। जवानी का नूर दूसरों को दिखाती रही और जब हम देखने को बेताब हुए तो बूढ़ी हो ली।

अभी हम उसे कुछ और बुरा-भला कहते कि तभी हमारे साथ वाली सीट पर बैठे सज्जन हमारे और पर्दे के बीच दीवार बनकर खड़े हो गए। फिर जब तक वे वहाँ से हटे हम मौसमी को माफ कर चुके थे, क्योंकि इस बीच वह फिर से जवान होकर पर्दे पर आ चुकी थी। लेकिन इस बार हम उसके हुस्न को ज्यादा देर तक नहीं देख पाए, क्योंकि अचानक दरवाजे के पास से कुछ लोगों के लड़ने-झगड़ने की आवाजें आने लगीं। कुछ ही देर में दर्शकों का ध्यान पर्दे से हटकर दरवाजे की तरफ चला गया। फिर शोर का एक तूफान उठा और फिल्म का प्रदर्शन बंद हो गया। हॉल की बत्तियाँ जल उठीं।

हमने देखा अचानक बहुत से लोगों की आँखें हमारी तरफ घूम गई हैं। हमें समझते देर नहीं लगी कि मौसमी की तरह आज वह बात इन्हें भी पता लग गई है। यानी लोगों ने जानबूझकर फिल्म का प्रदर्शन बंद करवाया है ताकि वे हम जैसे खुशनसीब को जी भरकर देख सकें।

'जल रहे होंगे साले सबके सब अभागे' हमने मन-ही-मन सोचा। यह ख्याल मन में आते ही हमारे चेहरे पर विजयी मुस्कान तैर गई।

बस, इधर हम मुस्कुराए, उधर लोगों के तन-बदन में आग लग गई। कई लोग एक साथ हमारी तरफ लपके और पलक झपकते ही हमें सीट पर से उठाकर हॉल के बाहर ला पटका।

उनकी इस गैर शरीफाना हरकत पर हमें गुस्सा तो बेइंतहा आया मगर लोगों की तादाद और अपना बाहुबल और सबसे अहम यह कि हालात की नजाकत, मौसमी की इज्जत का ख्याल कर हम चुप लगा गए। किसी तरह हिम्मत करके उठे। एक बार सोचा कि अब भीतर जाएँ या न जाएँ, मगर ठीक तभी हमारे कानों में मौसमी की आवाज गूँजने लगी—'जब प्यार किया तो डरना क्या...जब प्यार किया तो...' इसी आवाज को सुनने-सुनाते हम कब दरवाजे पर पहुँचे, कब फिर से शोर मचा,

कब हम फिर से बाहर फेंके गए, हमें कुछ याद नहीं। हमें तो इतना भर याद है कि जब इस आवाज का नशा दूर हुआ, हम डेढ़ टाँग और डेढ़ हाथ के हो चुके थे। हमारे सामने एक टॉर्चमैन हाथ बाँधे खड़ा था। उसने अनुरोध भरे स्वर में प्रार्थना की, ''बाबूजी, मेहरबानी करके अब आप भीतर न जाइएगा।''

उसकी बात सुनकर हमें हैरानी हुई। हमारी समझ में नहीं आया कि यह हमें भीतर जाने से मना क्यों कर रहा है। इसे करना ही था तो उन लोगों को हमारी पिटाई करने से मना करता। तभी हठात् हमारे मन में एक संदेह ने जन्म लिया–'तो क्या यह भी मौसमी का...?' इससे आगे सोचने से पहले ही हमें उस पर गुस्सा आ गया। 'दो कौड़ी का टॉर्चमैन...और शौक रखता है फिल्मी दर्शकों वाले...' आखिर हमने उससे पूछ ही लिया, ''क्यों न जाऊँ? वह क्या तुम्हारी आंटी लगती है?''

वह बोला, ''अजी लगती तो वह मेरी जूती भी नहीं है। पर आपकी वजह से आज मेरी हजामत बन गई होती। मैं तो आपको टॉर्च की रोशनी से इशारा करके बाहर आने को कह रहा था ताकि आपको ठीक-ठाक सीट पर बिठा सकूँ क्योंकि जिस सीट पर आप बैठे थे वह टूटी हुई है और किसी भी समय...मगर आपकी बगल में बैठे उस बुड्ढे ने समझा कि मैं उसकी लड़की के साथ टॉर्च-मिचौली कर रहा हूँ। इसलिए वह मुझसे लड़ने आ पहुँचा। वह तो गनीमत रही कि लोगों ने हल्ला मचा दिया वरना...''

''तो क्या टॉर्च की रोशनी तुम फेंक रहे थे?''

''और नहीं तो क्या मौसमी चटर्जी फेंक रही थी?'' हमारे सवाल का सीधा जवाब न देकर उसने ऐसा प्रश्न किया जिसने हमें निरुत्तर कर दिया। उसकी व्यथा-कथा सुनते ही हमारी खुशफहमी तो हवा हो ही गई, हमें नए सिरे से उस टॉर्चमैन के सामने शर्म ने आ घेरा।

इससे पहले कि वह हमारी नाजुक हालत पर गौर करे, हम वहाँ से मौसमी को हाजिर-नाजिर मानकर मन-ही-मन यह गाना गुनगुनाते चले आए–'मैंने लाखों के बोल सहे, सितमगर तेरे लिए...'

सात पीढ़ियों की खुशहाली

भाई चौपटलाल से हमारा याराना बचपन की दहलीज पर खड़े-खड़े ही हो गया था। फिर पाँच वर्ष के होते न होते हम तो दफ्तरों में बाबूगिरी करने का तरीका सीखने स्कूल की तरफ रुख कर गए और चौपटलाल को उनके पिता घर में ही अपना पुश्तैनी हुनर (झंडियाँ बनाने का) सिखाने में जुट गए। फिर जिस तरह आज फिल्मी हीरो अपने बेटों को फिल्म लाइन में उतार रहे हैं ठीक उसी तरह जब दो वर्ष की ट्रेनिंग के बाद चौपटलाल के पिता को इन पर कुछ-कुछ यकीन हो गया तो एक दिन वे इन्हें भी अपने साथ फील्ड पर ले गए।

वह दिन बड़ा ही मनहूस दिन था। घर से निकलते समय उनके पिता को रास्ते में खाली घड़ा लेकर जा रही स्त्री, उनका रास्ता काटकर भाग रही बिल्ली दीखी। चौपटलाल के हाथ से तिरंगे झंडे के जमीन पर गिरने जैसे अपशकुन पर तो उन्होंने गौर ही नहीं किया। नतीजा, वे उस दिन तिरंगी झंडियाँ सप्लाई करते रँगे हाथों पकड़े गए।

जमाना अंग्रेजों का था सो उन पर चोरी का इलजाम लगाकर उन्हें काले पानी की सजा देकर अंडमान भेज दिया गया और चौपटलाल को नाबालिग, नासमझ जानकर थाने में नाम दर्ज करने के बाद छोड़ दिया गया ताकि वे जल्द इस हुनर में महारत हासिल कर लें और कोई ऐसा कारनामा कर दिखाएँ कि सरकार उन्हें भी उनके पिता के पास भेजनकर बाप-बेटे को मिलाने का पुण्य कमा सके।

मगर अंग्रेज सरकार की हसरत पूरी न हो सकी क्योंकि चौपटलाल इस हुनर में कुछ इस खूबी से माहिर हुए कि ढूँढ़ने पर भी गोरी सरकार के हाथ नहीं आए। और तब सरकार ने हिंदुस्तान छोड़ने से चंद रोज पहले ही उन्हें मृत घोषित कर दिया।

इधर आजादी के बाद जैसे ही देश में स्वतंत्रता सेनानियों की खोज शुरू हुई चौपटलाल भी दरख्वास्त लिए जिला कलेक्टर के दफ्तर में जा पहुँचे।

चौपटलाल का दावा बड़ा पुख्ता था। उन्होंने दरख्वास्त में लिखा था कि उनके दादा, परदादा अंग्रेजों के खिलाफ जेहाद छेड़ते रहे। मगर अंग्रेज सरकार ने बजाय

घुटने टेकने के उन्हें बदनाम किया, देशभक्ति के लिए किए गए काम को देशद्रोह जैसा नापाक नाम दिया, पर ये टस-से-मस नहीं हुए। और जब इनके वंश की पाँचवीं पीढ़ी यानि चौपटलाल इस मिशन पर निकले तब कहीं जाकर अंग्रेजों ने हार मानी और हिंदुस्तान से भाग खड़े हुए।

उनकी दरख्वास्त पढ़ते ही जिला कलेक्टर उठकर उनके कदमों में गिर पड़ा। जिसने भी यह दृश्य देखा और सुना वही वाह-वाह कर उठा। जनता में चौपटलाल की जयजयकार होने लगी। और इस तरह देखते-ही-देखते चौपटलाल वल्द स्वर्गीय फाकेराम सत्ता दल के सक्रिय नेता हो गए।

चौपटलाल ने एक शाम बड़ी मायूसी के साथ हमें बताया कि वे देश की राजनीति में फुल टाइम वर्कर के रूप में इस दल से उस दल में, उस दल से इस दल में शिफ्ट होते रहे। मगर इतने दल बदलने के बाद भी कुरसी उनसे कुछ फासले पर ही रही।

अभी दस रोज पहले एक दिन बड़ी मायूस सूरत लिए चौपटलाल हमारे पास फिर आ पहुँचे और दीनता दिखाते हुए बोले, "भैया जी, हमने कमीज की तरह दल बदले मगर कोई लाभ होता नहीं दिखा। और आजकल तो राजनीतिज्ञों की भीड़ इतनी बढ़ गई है कि अगर भूल से कभी किसी सीवर लाइन का ढक्कन उठाकर अंदर झाँको तो वहाँ भी एक अदद खादी का कुर्ता-धोतीधारी, एअर इंडिया के महाराज की तर्ज पर गरदन नवाए, किसी फिल्मी साबुन के विज्ञापन में छपी अभिनेत्री की तरह मुस्कुराहट चेहरे पर ओढ़े खड़ा दीख पड़ता है। इसलिए सोचता हूँ कि मैं भी और नेताओं की तरह फिल्म लाइन में शिफ्ट हो जाऊँ।"

हम चकराए, "फिल्मों में, इस उम्र में, भला क्यों? आखिर तुम्हें यह बेपर की सूझी कैसे? क्या बच्चों का भी ख्याल नहीं?"

हम, जैसा कि बता चुके हैं, उनके अजीज मित्र ही नहीं, शुभचिंतक भी हैं और जैसा कि हर शुभचिंतक या दोस्त अपने अजीजों को खतरों से रोकता है सो हमने भी कई सवाल एक साथ किए ताकि वह उनसे घबराकर अपना इरादा बदल लें।

हमारी बात सुनकर चौपटलाल का उत्साह जरा भी ठंडा नहीं पड़ा। वे मुस्कुराए और फिर दूने उत्साह के साथ बोले, "भैया जी, एक तो फिल्म वालों के हम पर कई एहसान हैं। इन्हीं की बदौलत हम कई वर्षों तक पुलिस को चकमा देकर अपने मिशन में जुटे रह सके। फिर इन्हीं से सीखकर हमने नेताओं वाला बाना पहना और काफी हद तक कामयाब रहे। इसलिए सोचते हैं कुछ साल इनकी सेवा में भी गुजार लें। फिर इस बहाने एहसान भी उतर जाएगा और हमारी सात पीढ़ियों की खुशहाली का बंदोबस्त भी हो जाएगा।

"जहाँ तक उम्र का सवाल है सो तुम शायद नहीं जानते, अपने यहाँ नए

जवान हीरो और बूढ़ी हीरोइन भले ही न टिकती हों पर जवान हीरोइन और बूढ़े हीरो वर्षों तक टिके रहते हैं। इस लिहाज से हमारे चांस हैं ही। और इधर जब से हमने 'शौकीन' फिल्म देखी है तब से तो हमें यकीन हो गया है कि जब तक हम उस जहान में रहेंगे अगर चाहें तो हीरो ही बने रह सकते हैं।

"फिर आजकल फिल्मों के अलावा किसी भी क्षेत्र में नाम, दाम, सकून और चोखा नफा नहीं है। तभी तो कल के नामी तस्कर, नामी डाकू, नामी राजनीतिज्ञ इस तरफ रुखसत होते जा रहे हैं। यों भी फिल्म लाइन में राजनीति की बनिस्वत कई मौलिक फायदे भी हैं।"

"कौन से फायदे?"

"राजनीति में रहते अगर गलत चालचलन या अक्खड़पन का भेद पता चल जाए तो जनता नकार देती है। दल वाले दल से बाहर कर देते हैं। मगर फिल्मों में ऐंठू के भाव बढ़ जाते हैं, खूब पब्लिसिटी मिलती है।

"अगर राजनीति में रहते प्रेमिका या रखैल रखने का भेद खुल जाए तो सारा कैरियर चौपट समझो, मगर फिल्म लाइन में यह शान में इजाफा करती है। इसीलिए तो जो रखते हैं वे भी, और जो नहीं रख पाते वे भी जिस-तिस तरह से कोशिश करते हैं कि लोग यकीन कर लें कि उनके पास भी रखैल या प्रेमिका है, पत्नी के अलावा।

"राजनीति में मंत्री बन गए तो दो-तीन साल से ज्यादा बने नहीं रह सकते क्योंकि इससे ज्यादा कोई सरकार टिकती ही कहाँ है। मगर फिल्म लाइन में जो एक बार टॉप पर जा बैठा तो बीसियों बरस तक न हिला करे है। अब वहाँ कोई वोट देने या हाथ उठाने का चक्कर तो है नहीं कि जोड़-तोड़ करके उसके वोटर खींच लो।

"सबसे बड़ी बात, अगर राजनीति में रहे भी तो जरूरी तो नहीं कि हम अपनी औलाद को नेता, मंत्री या संसद सदस्य बनवा ही देंगे। मगर फिल्मों में तो कोई भी ऐरागैरा अपनी लाइन पर औलाद को एक्टर, डायरेक्टर, प्रोड्यूसर, डिस्ट्रीब्यूटर, फाइनेंसर या ऐसा ही कुछ बना दिया करे है। सो हम भी, अगर औलाद लायक निकली तो उसे इनमें से कोई सा काम करवा देंगे और अगर नालायक निकली तो अपने पैसे, रसूख के जरिए रातोंरात उसे स्टार बना देना तो हमारे बाएँ हाथ का खेल होगा। बस, फिर यही क्रम कम-से-कम हमारी आने वाली सात पीढ़ियों तक तो चलता ही रह सकता है।"

परिभाषाएँ बदल रही हैं

सन् उन्नीस सौ पैंतीस की बात है। जगतलाल स्ट्रीट लाइट के बिजली के ताँबे के तार काटते हुए रँगे हाथों पकड़ लिए गए। उन्हें कारावास मिला। जब सजा काटकर लौटे तो गली-मोहल्ले में सिर उठाकर चलना दूभर हो गया। आखिर सपरिवार दूसरे शहर में आ बसे। यहाँ भी ऐसा ही हुआ। फिर जेल जा पहुँचे। वहाँ से लौटे तो फिर शहर बदल लिया।

इसी तरह जुलाई सन् सैंतालीस तक आवागमन चलता रहा। अगस्त में देश आजाद हो गया। काफी फेरबदल हुई। इसके बाद जगतलाल जाने किस शहर में जा बसे।

समय ने करवट बदली। कल अचानक उनके पिछले प्रवासों में से किसी एक शहर के एक परिचित की उनसे मुलाकात हो गई। परिचित उन्हें देखकर अवाक् रह गया। जगतलाल का कायाकल्प हो चुका था। सदा नतमस्तक किए चलने वाले जगतलाल सिर ऊँचा किए चहलकदमी कर रहे थे। परिचित को चुपचाप किनारा कर जाना दूभर हो गया।

जगतलाल के पास पहुँचकर पूछा, ''अगर मैं भूल नहीं रहा हूँ तो आप जगतलाल ही हैं न? जो आगरा में रहते थे सन् पैंतालीस के आसपास?''

''आप भूल नहीं कर रहे हैं, बल्कि दुरुस्त फरमा रहे हैं।'' बड़ी शान से जगतलाल बोले। फिर परिचित के वाक्य में सुधार करने की गरज से बताने लगे, ''मेरा पूरा नाम जगतलाल जिज्ञासु, भूतपूर्व स्वतंत्रता सेनानी, वर्तमान पेंसनर और सत्ता पार्टी का कर्मठ कार्यकर्ता है।''

परिचित हैरान! जगतलाल और स्वतंत्रता सेनानी! उसने अपनी जानकारी के मुताबिक उनके पूर्व पेशे का स्मरण करते हुए कहा, ''पर तुम तो...''

''चोरी करते थे, यही कहना चाहते हैं न आप?'' उनकी बात बीच में ही लपककर जगतलाल बोले. ''जी नहीं, मैं चोरी नहीं करता था। वह तो मेरे नेक काम को अंगरेज सरकार द्वारा दी गई घृणित परिभाषा थी। दरअसल मैं स्वतंत्रता सेनानी था और अपने ढंग से व्यक्तिगत स्तर पर अंगरेज सरकार को परेशान कर रहा था।

उनकी व्यवस्था को तहस-नहस करके आजादी की जंग लड़ रहा था। आप तो जानते ही होंगे—प्यार और जंग में सब तरीके जायज होते हैं। अलबत्ता कई सिरफिरे इन तरीकों को नाजायज करार देते हैं। आप देख ही रहे हैं हम लोगों के उन्हीं कामों की बदौलत आज आप आजाद देश के नागरिक हो सके हैं।''

''मगर अब आप क्या कर रहे हैं, आपको तो...''

''कोई काम आता नहीं होगा सिवा चोरी के! यही कहना चाहते हैं न आप?''

जगतलाल ने उनकी बात फिर बीच ही में से लपक ली। फिर परिचित को सहमा-सहमा-सा खड़ा देख आगे बोले, ''अजी, अब हम कुछ करने लायक बचे ही कहाँ हैं। सारा दिमाग, सारी शक्ति, सारी जवानी तो हमने आजादी की लड़ाई में होम कर दी। मगर आप तो जानते ही हैं ऊपर वाला जब पेट देता है तो चुग्गा भी देता है। सो समझिए, हमारा भी यही हाल है। देश-प्रेम का प्रण अभी भी हमारे साथ है। हम तो आज भी केवल देश-सेवा करते हैं। सत्ता पार्टी के सक्रिय सदस्य हैं। सरकार के लिए समय-असमय काम करते हैं। आखिर सरकार अनुभवहीन लोगों से तो चलने से रही। इसलिए हम जैसे स्वतंत्रताप्रिय वीरों के अनुभवों से सरकार आज भी लाभ उठाती है और हमारे कल, आज और आने वाले कल के कामों को महत्त्व देते हुए हमें प्रतिमाह वजीफा देती है, ताकि हम घर-परिवार के झंझटों से मुक्त रह सकें।''

अपना परिचय देकर आजाद देश के जगतलाल जिज्ञासु, भूतपूर्व स्वतंत्रता सेनानी, वर्तमान सत्ता पार्टी के कर्मठ कार्यकर्ता उर्फ पराधीन देश का जगतलाल तार चोर चुप हो गए। उनकी तरफ फिर एक बार देखने के बाद परिचित को लगा अब नतमस्तक होकर चलने की बारी उसकी है।

कला प्रेम

सेठ छदामीलाल का मंदिर की परिक्रमा करने का क्रम अभी भी जारी था। वह अब तक पूरे सात बार मंदिर के चारों ओर का चक्कर लगा चुके थे। मंदिर की दीवारों, खंभों, बेदियों ही नहीं नावदानों, पायदानों, सीढ़ियों, लोटों, भगोनों, छोटे-छोटे बरतनों और शुद्ध वस्त्रों तक पर वह सरसरी, पैनी दृष्टि फेंक चुके थे। पर अब भी लग रहा था—साँझ हो गई है मगर मन नहीं भरा।

इधर सेठजी ने जैसे ही आठवीं बार मंदिर के एक छोर से नायिकाओं की मूर्तियों की भाव-भंगिमाएँ, वादकों के ढोल-मंजीरे और नृत्यांगनाओं के कटिप्रदेश पर से नजर उठाकर गुंबद की ओर सिर उठाया कि उनके बाहर जाने की बड़ी देर से बेताबी के साथ प्रतीक्षा कर रहा मंदिर का पुजारी आकर पैरों में पड़ गया और गिड़गिड़ाकर बोला, "हे कला पारखी, हे भगवद् भक्त, तुम चाहे हजार बार इन्हें निरख लो, तुम्हारा कलाप्रिय मन नहीं भरेगा। मैंने आज तक कोई भी ऐसा कला पारखी, भगवान को निहारने वाला नहीं देखा। मैं आपको प्रणाम करता हूँ, और अनुनय करता हूँ कि अब आप पधारें।"

सेठजी ने इतनी प्रशंसा से अप्रभावित रहते हुए बिना पुजारी की तरफ देखे ही कहा, "मैं तब तक यहाँ से हिलने वाला नहीं हूँ जब तक पिछले वर्ष मैंने जो इस मंदिर को दस हजार रुपये दान दिए थे उसका विवरण मय मेरे नाम के किसी संगमरमर के पत्थर पर खुदा हुआ दिखाई नहीं दे जाएगा। मैं इतनी देर से उसी को तलाश रहा हूँ। अगर तुम चाहते हो कि मैं जल्दी से जल्दी चला जाऊँ तो तुम भी देखो और जैसे ही नजर आ जाए मुझे बता देना। बस, मेरा कला प्रेम उसे देखते ही पूरा हो जाएगा और तुम्हें भी छुट्टी मिल जाएगी।"

बेईमान

यों दीनबंधु और परहिताभिलाषीजी बहुत ही शांतिप्रिय व्यक्ति थे। दोनों ही एक मंत्रालय के दो अलग-अगल विभागों के प्रमुख थे। ऊँचे अफसर थे सो खुशहाल भी थे। पर आज जब सुबह-सुबह दफ्तर में दोनों को लड़ते देखा तो अधीनस्थ कर्मचारी अवाक् रह गए। उनकी समझ में नहीं आया कि आखिर दोनों में वाक्‌युद्ध हुआ तो क्यों कर?

दीनबंधु कह रहे थे कि उन्होंने जो किया सो ठीक किया।

अब परहित जी को और कुछ न सूझा तो वह लगे दीनबंधुजी की करतूतों का कच्चा चिट्ठा खोलने।

भीड़ जुटने लगी। लोग आ-आकर खड़े होते गए। चूँकि मूल कारण जाने बिना जाना किसी को गवारा नहीं था सो जो आता वहीं स्थिर हो जाता।

भीड़ का मुआयना करने के बाद दीनबंधुजी को लगा, परहितजी ने सार्वजनिक रूप से उन पर जो आरोप थोप दिए हैं, उसके बाद इन सबकी निगाह में वह स्वयं तो बेईमान सिद्ध हुए जा रहे हैं और परहित की ईमानदारी पर जरा भी आँच नहीं आई।

तब उन्होंने भीड़ की गलतफहमी दूर करने के लिए परहितजी का कच्चा चिट्ठा बखान डाला।

भीड़ बढ़ती गई।

चिट्ठे बड़े होते गए।

भीड़ थम गई।

अब गालियों का आदान-प्रदान हुआ। फिर बल प्रयोग। तब लोगों ने बीच-बचाव कराया और इस सहयोग की वजह से उन्हें असलियत जानने का मौका मिल गया।

बात इतनी सी थी कि दीनबंधुजी ने परहितजी के किसी नातेदार का काम करवाने के एवज में उससे मेहनताना (घूस) वसूल लिया था। परहितजी को अपने ही आदमी से घूस लेना नागवार गुजरा। वह आग बबूला हो गए थे। अपने नातेदार को रकम वापस दिलाने का वचन दे बैठे थे और आ पहुँचे थे दीनबंधुजी को नैतिकता

ा—कि अपनों के साथ ऐसा सलूक तो वह ही क्या कोई भी नहीं नबंधुजी ने ऐसा करके नैतिक मूल्यों पर बज्रपात क्यों किया?
दीनबंधुजी को उनकी उपदेशात्मक बातें पसंद नहीं आईं। बस, इसी बात पर परहितजी उन्हें बेईमान प्रमाणित करने पर तुल गए।

और जाती हुई भीड़, छँटता हुआ मजमा भी दीनबंधुजी को बेईमान प्रमाणित करता गया। बात अपने आदमी से घूस लेने की जो थी, केवल घूस लेने की नहीं।

बदलाव

इस बार जब अपने गाँव पहुँचा तो वातावरण काफी बदला-बदला-सा नजर आया। न पहले की तरह किसी ने दुआ-सलाम की, न हास-परिहास किया, न कुशलक्षेम ही पूछी। जिसे देखो वही सहमा-सहमा-सा अपने आपमें सिमटा-सिमटा नजर आया।

मेरे लिए यह स्थिति असह्य हो उठी। मैं तो शहर से गाँव आता ही तनाव से मुक्ति पाने के लिए था। शहर की लगी-बँधी दिनचर्या से कुछ दिनों के लिए निजात पाने, एकरसता दूर करने के लिए ही तो इस शांत, सौम्य वातावरण में चला आता था।

पर इस बार लगा आना निरर्थक रहा। अभी छः महीने पहले जब मैं यहाँ आया था तब तो ऐसा कुछ भी नहीं था। फिर अचानक छः महीने में यह क्रांतिकारी परिवर्तन कैसे आ गया? क्या युद्धस्तर पर यहाँ के लोगों को इस नए परिवेश में ढालने का प्रशिक्षण दिया गया है?

हारकर मैं गाँव के पटेल के पास जा पहुँचा। इस उम्मीद से कि वह मेरी जिज्ञासा अवश्य शांत कर देंगे।

पहले तो वह भी इधर-उधर की बातें बताकर मूल प्रश्न को टालते रहे, मगर फिर मेरी उत्सुकता, आग्रह और मेरे परिवार के साथ अपने विश्वसनीय संबंधों का खयाल कर बताने लगे, "छोटे सेठ, अब इस गाँव में भाईचारा नहीं रह गया है। सब एक-दूसरे को अपना शत्रु समझते हैं। किसी का किसी पर विश्वास नहीं रहा। आस्थाएँ धराशायी हो रही हैं। सब कुछ बदल गया है, सब कुछ बदल रहा है, सब कुछ बदल जाएगा।"

मेरा कुतूहल और बढ़ गया। मैंने कहा, "वह तो मैं भी देख रहा हूँ, पर यह क्यों हुआ और इतनी जल्दी कैसे हुआ?"

पटेल ने एक बार चौकन्ना होकर इधर-उधर नजर दौड़ाई। फिर धीरे से बोले, "आप तो बहुत दिनों बाद आए हैं न, यह सब तो दो-ढाई महीने पहले ही हो गया था। तब से बढ़ता ही जा रहा है।"

मुझे अपने प्रश्न का पूरा उत्तर अभी भी नहीं मिला था। मैंने फिर पूछा, "मगर कैसे? क्यों?"

पटेल ने फिर एक बार चारों तरफ देखा। फिर मेरे कान के साथ अपना मुँह सटाकर बोले, "तीन महीने पहले अपने गाँव में पुलिस कोतवाली कायम हो गई है न।"

छवि

अचानक विमान में खुसर-फुसर होने लगी। सभी यात्री चिंतित हो उठे। विमान को इस हवाई अड्डे पर नहीं उतरना था, पर अभी-अभी सूचना प्रसारित हुई थी—"सभी यात्री अपनी-अपनी बेल्ट कस लें, थोड़ी ही देर में विमान लैंड करने वाला है।"

यह सूचना सुनकर सभी यात्रियों के चेहरों पर हवाइयाँ उड़ने लगी थीं। क्या विमान में कोई खराबी आ गई या विमान का अपरहरण कर लिया गया है? कितनी देर रुकना पड़ेगा यहाँ? क्या मौसम खराब है? पर ऐसा कुछ भी महसूस नहीं हो रहा था।

अलबत्ता एक यात्री अब काफी खुश नजर आ रहा था। सूचना प्रसारित होने से पहले तक यही यात्री काफी परेशान था। बार-बार सीट से उठता था। कभी पायलट के पास जाता तो कभी परिचारिकाओं से बातें करता, मगर अब वह निश्ंिचत था।

विमान रुका। वह खुशमिजाज यात्री विमान से उतर गया। इसके चंद मिनट बाद विमान ने फिर उड़ान भर दी—उस एकमात्र यात्री को वहीं छोड़कर। शेष यात्रियों को राहत तो महसूस हुई पर अब नए सवाल उभरने लगे। क्या एक यात्री के लिए इस तरह जहाज उतारना जायज था? क्या वह यात्री बीमार-दुःखी था, खतरनाक था? क्या वह अगले हवाई अड्डे तक नहीं जा सकता था?

इन सवालों का जवाब सभी चाहते थे, मगर दिक्कत यह थी कि जाने वाला तो चला गया। अब बताए कौन? तभी एक यात्री ने एक परिचारिका को अपने विश्वास में लेकर सही रहस्य जान ही लिया।

परिचारिका ने बताया—अभी जो सज्जन यहाँ उतरे हैं वह सत्ता में केंद्रीय मंत्री हैं। विमान में बैठे-बैठे ही अचानक उन्हें खयाल आया कि वह जिस शहर में जा रहे हैं वहाँ आज शाम को उन्हें एक जनसभा को संवोधित करना है। सभा का विषय है—गांधीजी, उनका युग, उनका दर्शन और आज के भारत में उनकी उपयोगिता। यह सब ध्यान आते ही उनकी निगाह एकबारगी अपने पहरावे पर चली गई। बस, यहीं से उनके दिमाग की अतिरिक्त सोच ने काम करना शुरू कर दिया। चूँकि हवाई अड्डे पर उनके स्वागतार्थ हजारों लोगों का आना निश्चित था और सूट-बूट में उनके

सामने पहुँचने पर इन्हें अपनी छवि धूमिल हो जाने का पूरा-पूरा विश्वास, इसलिए वह परेशान हो उठे। यात्रा पर निकलते समय वह खादी का कुरता, धोती, टोपी रखना भूल गए थे। इसीलिए इस अड्डे पर उतर गए। अब वह सीधे बाजार जाएँगे, वहाँ के गांधी आश्रम से कुरता, धोती, टोपी लेकर अपना लिबास बदलेंगे। फिर किसी एक और विमान को हवाई अड्डे पर उतरवाएँगे। इसके बाद अपनी प्राणों से प्यारी जनता के सामने अपनी चिर-परिचित मुद्रा और जनता की प्रिय पोशाक में हाजिर होंगे।

दिमाग

ज्ञानवर्द्धन सदा प्रथम आनेवाला छात्र रहा था। जब वह नौकरी के लिए कहीं साक्षात्कार देने जाता तो साक्षात्कार लेने वालों के ऊटपटाँग सवाल सुनकर बौखला जाता। फिर बजाय साक्षात्कार देने के उन्हीं का साक्षात्कार ले गुजरता। नतीजा यह होता कि हर जगह उसे अंत में एक ही बात सुनने को मिलती, "तुम्हारा दिमाग खराब है।"

हर बार यह सब सुन-सुनकर ज्ञानवर्द्धन को संदेह हो चला कि कहीं वास्तव में उसका दिमाग खराब तो नहीं है! इसलिए नौकरी ढूँढ़ने से पहले अब उसने दिमाग दुरुस्त कराने का फैसला किया।

ज्ञानवर्द्धन एक चिकित्सक के पास पहुँचा। उसे अपनी समस्या बताई।

उसकी बात सुनकर चिकित्सक ने कहा, "आपके दिमाग पर मुझे काफी समय तक काम करना होगा। लिहाजा आप इसे मेरे ही पास मरम्मत के लिए छोड़ जाएँ।"

ज्ञानवर्द्धन इसके लिए सहमत हो गया।

चिकित्सक ने रात-दिन उसके दिमाग पर मेहनत कर उसे कामचलाऊ बना दिया। पर निश्चित दिन ज्ञानवर्द्धन उसे लेने नहीं आया।

चिकित्सक चिंतित हो उठा। सोचने लगा—पता नहीं बेचारा बिना दिमाग के कैसे काम चला रहा होगा?

अब चिकित्सक जब भी कहीं जाता उसकी खोजी निगाहें ज्ञानवर्द्धन की तलाश में रहतीं। आखिर एक दिन साइकिल पर जाता ज्ञानवर्द्धन चिकित्सक को नजर आ गया।

पास पहुँचकर चिकित्सक ने उलाहना भरे शब्दों में कहा, "आप भी अजीब अहमक आदमी हैं। आपका मरम्मत किया हुआ दिमाग मेरे यहाँ रखा है और आप लेने नहीं आए। भला बिना दिमाग के आपको परेशानी नहीं होती?"

ज्ञानवर्द्धन मुस्कुराकर बोला, "बात यह है चिकित्सक महोदय, मुझे उस दिमाग की कोई जरूरत नहीं। मेरा उसके बिना बड़ी अच्छी तरह काम चल रहा है। जिस दिन मैं आपके पास दिमाग मरम्मत के लिए रखकर आया, उसके अगले ही दिन मुझे सरकारी नौकरी मिल गई। अब आप वह दिमाग किसी को भी देने के लिए स्वतंत्र हैं।"

इससे पहले कि चिकित्सक कुछ कहे, ज्ञानवर्द्धन तेजी से साइकिल दौड़ाता हुआ वहाँ से भाग खड़ा हुआ।

गणित

शादी के दूसरे ही साल में उनके एक बिटिया हुई। फिर तीसरे वर्ष। फिर चौथे। फिर पाँचवें। फिर छठे। फिर सातवें। फिर आठवें। फिर नवें। फिर दसवें वर्ष में भी बिटिया हुई। फिर ग्यारहवें वर्ष में एक प्यारा-सा बेटा हुआ। फिर बाहरवें वर्ष में दूसरा राजदुलारा आया। इसके बाद वे प्रसन्न-अप्रसन्न का मिला-जुला संस्करण नजर आने लगे।

फिर तेरहवें वर्ष में पहली बिटिया ने पढ़ना छोड़ा। फिर चौदहवें वर्ष में दूसरी ने। फिर पंद्रहवें वर्ष में तीसरी ने। फिर सोलहवें वर्ष में चौथी ने। फिर सत्रहवें वर्ष में पाँचवीं ने। फिर अठारहवें वर्ष में छठी ने। फिर उन्नीसवें वर्ष में सातवीं ने। फिर बीसवें वर्ष में आठवीं ने। फिर इक्कीसवें वर्ष में नवीं ने।

वे नन्हे-मुन्नों को पढ़ाने में मशगूल हो गए। फिर उन्होंने नवयुवकों से मित्रता गाँठनी शुरू की। हर दूसरे-चौथे दिन अपने युवा मित्रों को घर बुलाने लगे। घंटों गप्प-गपाड़ा होता। जिसे जहाँ मन होता, बैठता-उठता, सोता-खाता। फिर वे मित्रों को घर में छोड़कर यकायक गुम होने लगे। जाहिर है उनकी अनुपस्थिति में मित्रों की सेवाटहल का दायित्व लड़कियों पर आने लगा। लड़के तो पढ़ रहे होते थे न!

फिर बाइसवें वर्ष उनकी पहली बिटिया घर से भाग गई। मुहल्ले का एक नवयुवक भी उसी दिन से घर नहीं लौटा। फिर तेइसवें वर्ष दूसरी और तीसरी। फिर चौबीसवें वर्ष में चौथी और पाँचवीं।

अब वे अप्रसन्न कम, प्रसन्न ज्यादा नजर आने लगे हैं। उन्हें उम्मीद है शादी के रजत जयंती वर्ष में वे पारिवारिक दायित्वों से (बेटियों के विवाह) पूरी तरह से मुक्त हो चुकेंगे।

बेदखल

उसे जब अपना विवाह तय हो जाने की सूचना मिली, उसके दो-चार दिन बाद ही यह भी पता लगा कि उस जैसे संस्कारी बेटे का विवाह पिताजी ने दो लाख के दहेज के एवज में तय किया है।

निर्णायक क्षण उसके सामने था। ताउम्र वह दहेज जैसी कुरीति के खिलाफ विषवमन करता आया था, और अब...

उसे ज्यादा समय ऊहापोह में नहीं रहना पड़ा। अगले ही दिन पिता के सामने उसने स्पष्ट कर दिया कि वह दहेज नहीं लेगा। और ले भी क्यों, लाखों की संपत्ति का वह अकेला उत्तराधिकारी था।

उसे यकीन था कि पिता उसकी दलील से सहमत होंगे। वही होगा, वैसे ही होगा, जो वह चाहता है, जैसे वह चाहता रहा है।

पर ऐसा नहीं हुआ। पिता ने उसे नफा-नुकसान समझाया। उस पर पिता की बातों का असर नहीं हुआ। वह अपनी जिद पर अड़ा रहा। पिता को अपनी बात न मानते देख उनसे नाता तोड़ घर छोड़ कर चला गया।

एक दिन वह लड़की के पिता के सामने जा खड़ा हुआ। अपने मन की बात उन्हें बताई।

उन्होंने ध्यान से उसकी बात सुनने के बाद कहा, "बेटा, मैं तुम्हारी भावनाओं की कद्र करता हूँ। लेकिन मैं तुमसे अपनी बेटी का विवाह कर कैसे दूँ? दरअसल मैं तुम्हें नहीं, तुम्हारे धनवान पिता के धन के उत्तराधिकारी को अपनी बेटी ब्याह रहा था। दो वक्त की रोटी जुटाने में दिन-रात जुटे रहने वाले मजदूर को मैं अपनी बेटी कैसे दे दूँ? तुम कोई अपने योग्य घर तलाश करो।"

●●●